상위권으로 가는 문제 해결 연산 학습지

응용 연산

C4
초3 ~ 초4

나눗셈, 큰 수의 계산

Creative to Math
씨투엠

Creative to Math

응용연산 : 상위권으로 가는 문제해결 연산 학습지

요즘 아이들은 초등학교 입학 전에 연산 문제집 한 권 정도는 풀어본 경험이 있습니다. 어릴 때부터 연산 문제를 많이 풀었기 때문에 아이들은 아직 학교에서 배우지 않은 계산 문제를 슥슥 풀어서 부모님들을 흐뭇하게 만들기도 합니다. 그런데 아이들의 연산 능력은 날로 높아지지만 수학 실력은 과거에 비해 그다지 늘지 않은 것 같습니다. 사실 진짜 수학 실력은 연산 문제나 사고력 수학 문제를 주로 푸는 초등 저학년 때는 잘 드러나지 않습니다. 응용 문제를 본격적으로 풀기 시작하는 초등 3, 4학년이 되어서야 아이의 수학 실력을 판별할 수 있습니다.

초등 수학에서 연산이 가장 중요한 것은 부정할 수 없는 사실입니다. 중학생, 고등학생이 되어서 부족한 연산 능력을 키우는 것은 거의 불가능합니다. 이러한 연산의 특수성 때문에 아이들은 어린 나이부터 연산을 반복적으로 연습하여 실력을 키우려고 합니다. 이렇게 열심히 연산을 공부하는데도 왜 어떤 아이들은 수학 문제를 잘 풀지 못하는 것일까요? 그 이유는 현재 연산 학습의 목적이 단지 '계산을 잘 하는 것'이 되어버렸기 때문입니다. 연산은 연산 자체가 목적이 될 수 없으며 수학의 진짜 목표인 문제를 잘 풀기 위한 수단으로 연산을 학습해야 합니다.

과거 초등 수학 교과서의 연산 단원은 ① 원리와 연습 ② 문장제 활용의 단순한 구성이었습니다만 요즘의 교과서는 많이 달라졌습니다. 원리와 연습은 그대로이거나 조금 줄었지만 연산을 응용하는 방식은 좀 더 다양해졌습니다. 계산 능력의 향상만을 꾀하는 것이 아니라 여러 가지 퍼즐이나 수학적 상황 등을 해결할 수 있는 '응용력'에 초점을 맞추고 있다는 것을 보여주는 변화입니다. 따라서 저희는 연산 학습지도 원리나 연습 위주에서 벗어나 실제 문제를 해결할 수 있는 능력에 포인트를 맞추어야 한다고 생각합니다.

'연산은 잘 하는데 수학 문제는 왜 못 풀까요?'에 대한 대답이자 대안으로 저희는 「응용연산」이라는 새로운 컨셉의 연산 학습지를 만들었습니다. 연산 원리를 이해하고 연습하는 것에 그치지 않고, 익힌 것을 활용하는 방법을 바로 보여줄 수 있어야 아이들이 수학 문제에 연산을 효과적으로 적용할 수 있습니다. 연습은 꼭 필요한 만큼만 하고, 더 중요한 응용 문제에 바로 도전함으로써 연산과 문제 해결이 단절되지 않게 하는 것이 「응용연산」에서 기대하는 가장 큰 목표입니다.

「응용연산」을 통해 아이들이 왜 연산을 해야 하는지 스스로 느낄 수 있을 것이라 자신합니다. 이제 연산은 '원리'나 '연습'이 아닌 스스로 문제를 해결할 수 있는 '응용력'입니다.

응용연산의 구성과 특징

- 매일 부담없이 4쪽씩 연산 학습
- 매주 4일간 단계별 연산 학습과 응용 문제를 통한 연산 실력 확인
- 매주 1일 형성평가로 테스트 및 복습

주차별 구성

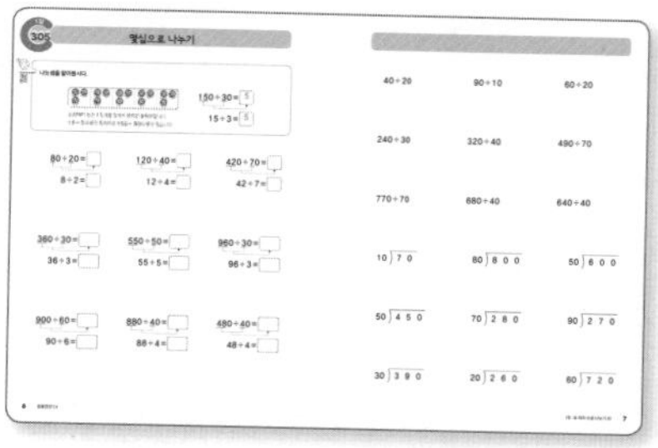

원리연산

대표 문제를 통해 학습하는 매일 새로운 단계별 연산 학습

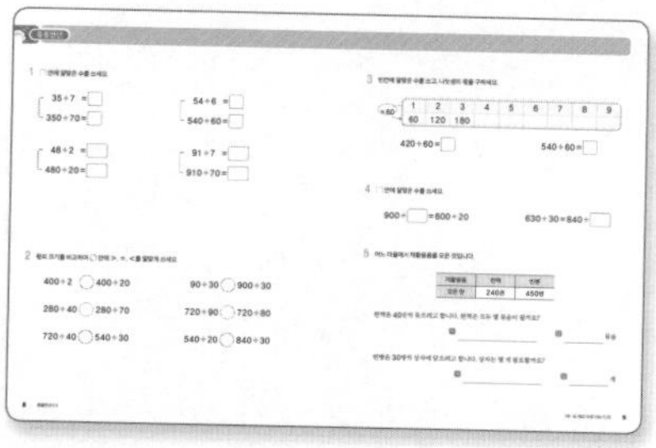

응용연산

기본 문제와 응용 문제를 통한 응용력과 문제해결력 증진

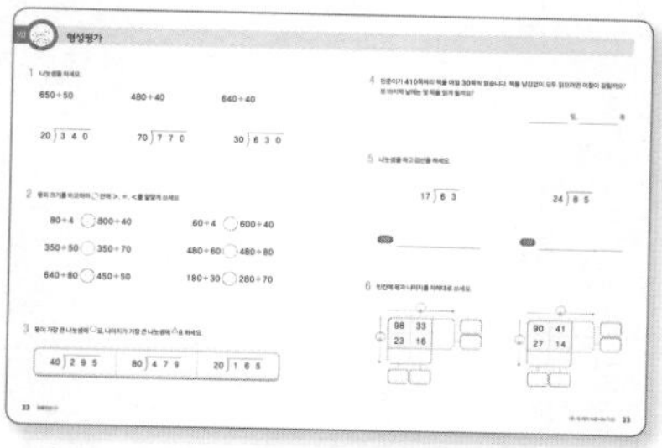

형성평가

가장 중요한 유형을 다시 한번 복습하며 주차 학습 마무리

	1일	2일	3일	4일	5일
1주차	6쪽 ~ 9쪽	10쪽 ~ 13쪽	14쪽 ~ 17쪽	18쪽 ~21쪽	22쪽 ~ 24쪽
2주차	26쪽 ~ 29쪽	30쪽 ~ 33쪽	34쪽 ~ 37쪽	38쪽 ~41쪽	42쪽 ~ 44쪽
3주차	46쪽 ~ 49쪽	50쪽 ~ 53쪽	54쪽 ~ 57쪽	58쪽 ~61쪽	62쪽 ~ 64쪽
4주차	66쪽 ~ 69쪽	70쪽 ~ 73쪽	74쪽 ~ 77쪽	78쪽 ~81쪽	82쪽 ~ 84쪽

정답 및 해설

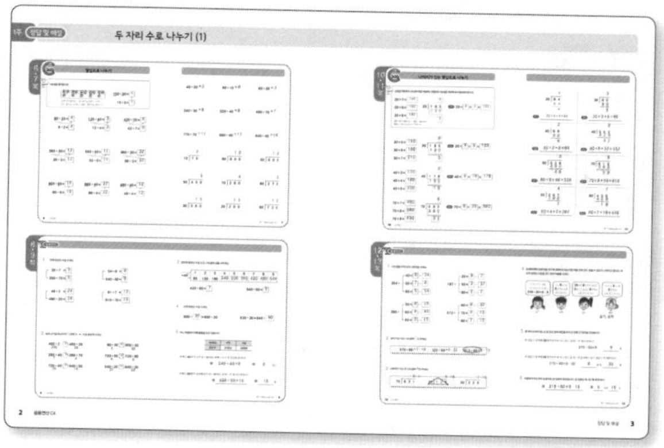

문제와 답을 한눈에 볼 수 있습니다.

이 책의 차례

1 주차	두 자리 수로 나누기 (1)	5
2 주차	두 자리 수로 나누기 (2)	25
3 주차	큰 수	45
4 주차	큰 수의 계산	65

1주차

두 자리 수로 나누기 (1)

나누는 수가 두 자리 수인 나눗셈

1일 305 • 몇십으로 나누기 06

2일 306 • 나머지가 있는 몇십으로 나누기 ... 10

3일 307 • (두 자리 수)÷(두 자리 수) 14

4일 308 • 나눗셈 문제 해결 18

5일 형성평가 22

몇십으로 나누기

개념 원리

나눗셈을 알아봅시다.

십원짜리 동전 15개를 3개씩 묶으면 5묶음입니다.
15 ÷ 3의 몫은 5이므로 150 ÷ 30의 몫은 5입니다.

$150 \div 30 = \boxed{5}$

$15 \div 3 = \boxed{5}$

$80 \div 20 = \square$
$8 \div 2 = \square$

$120 \div 40 = \square$
$12 \div 4 = \square$

$420 \div 70 = \square$
$42 \div 7 = \square$

$360 \div 30 = \square$
$36 \div 3 = \square$

$550 \div 50 = \square$
$55 \div 5 = \square$

$960 \div 30 = \square$
$96 \div 3 = \square$

$900 \div 60 = \square$
$90 \div 6 = \square$

$880 \div 40 = \square$
$88 \div 4 = \square$

$480 \div 40 = \square$
$48 \div 4 = \square$

$40 \div 20$

$90 \div 10$

$60 \div 20$

$240 \div 30$

$320 \div 40$

$490 \div 70$

$770 \div 70$

$680 \div 40$

$640 \div 40$

$10\overline{)\,7\ 0}$

$80\overline{)\,8\ 0\ 0}$

$50\overline{)\,6\ 0\ 0}$

$50\overline{)\,4\ 5\ 0}$

$70\overline{)\,2\ 8\ 0}$

$90\overline{)\,2\ 7\ 0}$

$30\overline{)\,3\ 9\ 0}$

$20\overline{)\,2\ 6\ 0}$

$60\overline{)\,7\ 2\ 0}$

1 □ 안에 알맞은 수를 쓰세요.

$35 \div 7 = \square$
$350 \div 70 = \square$

$54 \div 6 = \square$
$540 \div 60 = \square$

$48 \div 2 = \square$
$480 \div 20 = \square$

$91 \div 7 = \square$
$910 \div 70 = \square$

2 몫의 크기를 비교하여 ○ 안에 >, =, <를 알맞게 쓰세요.

$400 \div 2$ ○ $400 \div 20$

$90 \div 30$ ○ $900 \div 30$

$280 \div 40$ ○ $280 \div 70$

$720 \div 90$ ○ $720 \div 80$

$720 \div 40$ ○ $540 \div 30$

$540 \div 20$ ○ $840 \div 30$

3 빈칸에 알맞은 수를 쓰고, 나눗셈의 몫을 구하세요.

×60

1	2	3	4	5	6	7	8	9
60	120	180						

$420 \div 60 = \square$

$540 \div 60 = \square$

4 □ 안에 알맞은 수를 쓰세요.

$900 \div \square = 600 \div 20$

$630 \div 30 = 840 \div \square$

5 어느 마을에서 재활용품을 모은 것입니다.

재활용품	헌책	빈병
모은 양	240권	450병

헌책을 40권씩 묶으려고 합니다. 헌책은 모두 몇 묶음이 될까요?

식 ______________ 답 ________ 묶음

빈병을 30병씩 상자에 담으려고 합니다. 상자는 몇 개 필요할까요?

식 ______________ 답 ________ 개

나머지가 있는 몇십으로 나누기

개념원리

곱셈을 이용하여 나눗셈의 몫을 어림하는 방법으로 나눗셈을 계산해 보고 검산하여 봅시다.

$20\times7=$ [140]

$20\times8=$ [160]

$20\times9=$ [180]

$$\begin{array}{r} 8 \\ 20\overline{)163} \\ 160 \\ \hline 3 \end{array}$$

검산 $20\times$ [8] $+$ [3] $=$ [163]

20×8=160이므로 163÷20의 몫은 8쯤일 것이라 어림하여 계산합니다.

$30\times5=$ [ ]

$30\times6=$ [ ]

$30\times7=$ [ ]

$$\begin{array}{r} \square \\ 30\overline{)185} \\ \square \\ \hline \square \end{array}$$

검산 $30\times$ [ ] $+$ [ ] $=$ [ ]

$40\times3=$ [ ]

$40\times4=$ [ ]

$40\times5=$ [ ]

$$\begin{array}{r} \square \\ 40\overline{)178} \\ \square \\ \hline \square \end{array}$$

검산 $40\times$ [ ] $+$ [ ] $=$ [ ]

$70\times7=$ [ ]

$70\times8=$ [ ]

$70\times9=$ [ ]

$$\begin{array}{r} \square \\ 70\overline{)593} \\ \square \\ \hline \square \end{array}$$

검산 $70\times$ [ ] $+$ [ ] $=$ [ ]

$$20\overline{)84}$$

4

80

4

검산 $20 \times 4 + 4 = 84$

$$30\overline{)95}$$

검산

$$40\overline{)88}$$

검산

$$40\overline{)352}$$

검산

$$60\overline{)526}$$

검산

$$70\overline{)619}$$

검산

$$50\overline{)207}$$

검산

$$60\overline{)439}$$

검산

1 나눗셈을 하여 몫과 나머지를 쓰세요.

354 ÷ 40 = ☐ … ☐
354 ÷ 50 = ☐ … ☐
354 ÷ 60 = ☐ … ☐

187 ÷ 20 = ☐ … ☐
187 ÷ 50 = ☐ … ☐
187 ÷ 90 = ☐ … ☐

285 ÷ 30 = ☐ … ☐
285 ÷ 60 = ☐ … ☐
285 ÷ 90 = ☐ … ☐

572 ÷ 60 = ☐ … ☐
572 ÷ 70 = ☐ … ☐
572 ÷ 80 = ☐ … ☐

2 몫이 가장 작은 나눗셈에 ◯표 하세요.

570÷80	322÷50	313÷60

3 나머지가 가장 큰 나눗셈에 △표 하세요.

70) 6 3 1	20) 1 7 9	30) 2 2 5

4 249쪽짜리 동화책을 하루에 30쪽씩 읽는다면 며칠 안에 모두 읽을 수 있는지 구하려고 합니다. 바르게 설명한 사람을 모두 찾아 이름을 쓰세요.

____

5 준이네 동네에서는 한 달 동안 분리 배출을 하여 빈 깡통 270개를 모았습니다.

빈 깡통을 상자에 30개씩 담으면 가득 담은 상자는 몇 개가 될까요?

______ 개

빈 깡통을 봉지에 40개씩 담으면 가득 담은 봉지는 몇 봉지이고 남은 깡통은 몇 개일까요?

______ 봉지, ______ 개

6 서울에서 부산까지 승용차로 315분이 걸렸습니다. 315분은 몇 시간 몇 분일까요?

식 __________ 답 ______ 시간 ______ 분

(두 자리 수)÷(두 자리 수)

개념원리

(두 자리 수) ÷ (두 자리 수)의 계산 방법을 알아보고 검산하여 봅시다.

$$\begin{array}{r} 4 \\ 17\overline{)\,89} \\ 68 \\ \hline 21 \end{array} \xrightarrow{\text{몫을 1 크게}} \begin{array}{r} \boxed{5} \\ 17\overline{)\,89} \\ \boxed{85} \\ \hline \boxed{4} \end{array}$$

나머지가 나누는 수보다 큽니다.

검산 $17 \times \boxed{5} + \boxed{4} = \boxed{89}$

나머지가 나누는 수보다 클 때에는 몫을 1 크게 합니다.

$$\begin{array}{r} 5 \\ 16\overline{)\,72} \\ 80 \\ \hline \end{array} \xrightarrow{\text{몫을 1 작게}} \begin{array}{r} \boxed{4} \\ 16\overline{)\,72} \\ \boxed{64} \\ \hline \boxed{8} \end{array}$$

뺄 수 없습니다.

검산 $16 \times \boxed{4} + \boxed{8} = \boxed{72}$

뺄 수 없을 때에는 몫을 1 작게 합니다.

$$\begin{array}{r} 3 \\ 15\overline{)\,68} \\ 45 \\ \hline 23 \end{array} \longrightarrow \begin{array}{r} \boxed{} \\ 15\overline{)\,68} \\ \boxed{} \\ \hline \boxed{} \end{array}$$

검산 $15 \times \boxed{} + \boxed{} = \boxed{}$

$$\begin{array}{r} 5 \\ 18\overline{)\,87} \\ 90 \\ \hline \end{array} \longrightarrow \begin{array}{r} \boxed{} \\ 18\overline{)\,87} \\ \boxed{} \\ \hline \boxed{} \end{array}$$

검산 $18 \times \boxed{} + \boxed{} = \boxed{}$

$$16\overline{)38}$$

2

32

6

검산 $16\times2+6=38$

$$21\overline{)85}$$

검산

$$15\overline{)67}$$

검산

$$15\overline{)80}$$

검산

$$22\overline{)96}$$

검산

$$19\overline{)78}$$

검산

$$25\overline{)95}$$

검산

$$11\overline{)67}$$

검산

1 빈칸에 몫과 나머지를 차례대로 쓰세요.

(÷ →, ÷ ↓)

96	40		…
25	12		…

(÷ →, ÷ ↓)

89	39		…
41	16		…

2 주어진 수 카드를 사용하여 가장 큰 두 자리 수와 가장 작은 두 자리 수를 각각 만들고 나눗셈을 하세요.

7 2 1 5 → 75 ÷ 12 = 6 … 3

6 4 2 3 → ☐☐ ÷ ☐☐ = ☐ … ☐

1 9 4 7 → ☐☐ ÷ ☐☐ = ☐ … ☐

2 8 3 5 → ☐☐ ÷ ☐☐ = ☐ … ☐

3 다음 중 바르게 계산한 것을 찾아 ◯표 하세요.

$\begin{array}{r} 6 \\ 12\overline{)63} \\ 72 \\ \hline 9 \end{array}$	$\begin{array}{r} 4 \\ 12\overline{)63} \\ 48 \\ \hline 15 \end{array}$	$\begin{array}{r} 5 \\ 12\overline{)63} \\ 60 \\ \hline 3 \end{array}$

$\begin{array}{r} 3 \\ 18\overline{)95} \\ 54 \\ \hline 41 \end{array}$	$\begin{array}{r} 4 \\ 18\overline{)95} \\ 72 \\ \hline 23 \end{array}$	$\begin{array}{r} 5 \\ 18\overline{)95} \\ 90 \\ \hline 5 \end{array}$

4 어느 서점에서 소설책 87권을 1칸에 17권씩 꽂고 남은 책은 진열하려고 합니다. 소설책은 최대 몇 칸에 꽂히게 되고 몇 권이 남을까요?

________ 칸, ________ 권

5 연필 78자루를 한 상자에 1타씩 포장하여 팔려고 합니다. 연필은 최대 몇 상자까지 팔 수 있을까요? 단, 연필 1타는 12자루입니다.

________ 상자

나눗셈 문제 해결

개념원리

곱셈식을 이용하여 몫과 나머지를 구해 봅시다.

$17\times5=85$

$85\div17=$ 5

+ 4

$89\div17=$ 5 … 4

85÷17은 나머지가 없으므로 나누어떨어집니다.
나누어지는 수가 85보다 4 크므로 나머지는 4가 됩니다.

$12\times6=72$

$72\div12=\square$

+ $\square$

$77\div12=\square\cdots\square$

$23\times4=92$

$92\div23=\square$

+ $\square$

$95\div23=\square\cdots\square$

$15\times5=75$

$75\div15=\square$

+ $\square$

$82\div15=\square\cdots\square$

$13\times6=78$

$78\div13=\square$

+ $\square$

$90\div13=\square\cdots\square$

$16\times6=96$

$96\div16=\square$

+ $\square$

$97\div16=\square\cdots\square$

$21\times4=84$

$84\div21=\square$

+ $\square$

$99\div21=\square\cdots\square$

주어진 곱셈식을 이용하여
나눗셈의 몫과 나머지를
구하세요.

$13 \times 4 = 52$
$58 \div 13 = \square \cdots \square$

$12 \times 8 = 96$
$99 \div 12 = \square \cdots \square$

$15 \times 3 = 45$
$51 \div 15 = \square \cdots \square$

$13 \times 7 = 91$
$99 \div 13 = \square \cdots \square$

$14 \times 5 = 70$
$73 \div 14 = \square \cdots \square$

$24 \times 4 = 96$
$98 \div 24 = \square \cdots \square$

$31 \times 3 = 93$
$97 \div 31 = \square \cdots \square$

$11 \times 7 = 77$
$81 \div 11 = \square \cdots \square$

$16 \times 5 = 80$
$92 \div 16 = \square \cdots \square$

1 주어진 식을 이용하여 □ 안에 알맞은 수를 쓰세요.

$86 \div 12 = 7 \cdots 2$

➡ $88 \div 12 = \square \cdots \square$

$56 \div 15 = 3 \cdots 11$

➡ $51 \div 15 = \square \cdots \square$

$95 \div 14 = 6 \cdots 11$

➡ $\square \div 14 = 6 \cdots 13$

$77 \div 13 = 5 \cdots 12$

➡ $\square \div 13 = 5 \cdots 4$

2 다음과 같이 □를 사용한 식을 세우고 어떤 수를 구하세요.

> 어떤 수를 15로 나누면 몫이 3이고 나머지는 8입니다. 어떤 수는 얼마일까요?
>
> □를 사용한 식: $\square \div 15 = 3 \cdots 8$ 어떤 수: 53

어떤 수를 13으로 나누면 몫이 7이고 나머지는 8입니다. 어떤 수는 얼마일까요?

□를 사용한 식: ____________ 어떤 수: ____________

83을 어떤 수로 나누면 몫이 3이고 나머지는 11입니다. 어떤 수는 얼마일까요?

□를 사용한 식: ____________ 어떤 수: ____________

3 72를 24로 나누면 나누어떨어집니다. 다음을 구하세요.

72보다 큰 수 중에서 24로 나누었을 때 나머지가 12가 되는 가장 작은 수 ……… ☐

72보다 작은 수 중에서 24로 나누었을 때 나머지가 12가 되는 가장 큰 수 ……… ☐

4 다음 조건에 맞는 수를 구하세요.

- 60보다 크고 80보다 작은 수입니다.
- 25로 나누었을 때 나머지가 가장 큰 수입니다.

☐

5 지은이는 제과점에서 오늘 만든 과자 97개를 한 봉지에 14개씩 최대한 많은 봉지에 나누어 담고 남은 것은 다 먹었습니다. 지은이가 먹은 과자는 모두 몇 개일까요?

식 ____________ 답 ________ 개

형성평가

1 나눗셈을 하세요.

$650 \div 50$　　$480 \div 40$　　$640 \div 40$

$20 \overline{)340}$　　$70 \overline{)770}$　　$30 \overline{)630}$

2 몫의 크기를 비교하여 ◯ 안에 >, =, <를 알맞게 쓰세요.

$80 \div 4$ ◯ $800 \div 40$　　$60 \div 4$ ◯ $600 \div 40$

$350 \div 50$ ◯ $350 \div 70$　　$480 \div 60$ ◯ $480 \div 80$

$640 \div 80$ ◯ $450 \div 50$　　$180 \div 30$ ◯ $280 \div 70$

3 몫이 가장 큰 나눗셈에 ◯표, 나머지가 가장 큰 나눗셈에 △표 하세요.

$40 \overline{)295}$	$80 \overline{)479}$	$20 \overline{)165}$

4 민준이가 410쪽짜리 책을 매일 30쪽씩 읽습니다. 책을 남김없이 모두 읽으려면 며칠이 걸릴까요? 또 마지막 날에는 몇 쪽을 읽게 될까요?

__________ 일, __________ 쪽

5 나눗셈을 하고 검산을 하세요.

$17\overline{)\,6\;3}$

$24\overline{)\,8\;5}$

검산 ____________________

검산 ____________________

6 빈칸에 몫과 나머지를 차례대로 쓰세요.

(→ ÷, ↓ ÷)

98	33		□
23	16		□
□	□		

(→ ÷, ↓ ÷)

90	41		□
27	14		□
□	□		

7 주어진 식을 이용하여 □ 안에 알맞은 수를 쓰세요.

$33 \times 4 = 132$
→ $135 \div 33 = \square \cdots \square$

$22 \times 6 = 132$
→ $150 \div 22 = \square \cdots \square$

$14 \times 8 = 112$
→ $121 \div 14 = \square \cdots \square$

$18 \times 7 = 126$
→ $143 \div 18 = \square \cdots \square$

8 80을 16으로 나누면 나누어떨어집니다. 다음을 구하세요.

80보다 큰 수 중에서 16으로 나누었을 때 나머지가 8이 되는 가장 작은 수 .... □

80보다 작은 수 중에서 16로 나누었을 때 나머지가 8이 되는 가장 큰 수 .... □

9 어떤 자연수를 11로 나누었을 때, 나올 수 있는 나머지를 모두 합하면 얼마일까요?

____

2주차

두 자리 수로 나누기 (2)

(세 자리 수)÷(두 자리 수)의 계산

1일 309 • 몫이 한 자리 수인 (세 자리 수)÷(두 자리 수) ··· 26
2일 310 • 몫이 두 자리 수인 (세 자리 수)÷(두 자리 수) (1) ··· 30
3일 311 • 몫이 두 자리 수인 (세 자리 수)÷(두 자리 수) (2) ··· 34
4일 312 • 나눗셈 종합 ··· 38
5일 형성평가 ··· 42

1일

309 몫이 한 자리 수인 (세 자리 수)÷(두 자리 수)

개념원리

몫이 한 자리 수인 (세 자리 수) ÷ (두 자리 수)의 계산 방법을 알아보고 검산하여 봅시다.

```
      4      몫을 1 크게 ···>       5
65 ) 3 4 9                65 ) 3 4 9
     2 6 0                     3 2 5
     -----                     -----
       8 9                       2 4
```

나머지가 나누는 수보다 큽니다.

검산 65×[5]+[24]=[349]

나머지가 나누는 수보다 클 때에는 몫을 1 크게 합니다.

```
      8      몫을 1 작게 ···>       7
38 ) 2 8 3                38 ) 2 8 3
     3 0 4                     2 6 6
     -----                     -----
                                 1 7
```

뺄 수 없습니다.

검산 38×[7]+[17]=[283]

뺄 수 없을 때에는 몫을 1 작게 합니다.

```
      5      ···>                  [ ]
26 ) 1 6 1                26 ) 1 6 1
     1 3 0                     [    ]
     -----                     -----
       3 1                       [ ]
```

검산 26×[ ]+[ ]=[ ]

```
      8      ···>                  [ ]
54 ) 4 1 6                54 ) 4 1 6
     4 3 2                     [    ]
     -----                     -----
                                 [ ]
```

검산 54×[ ]+[ ]=[ ]

$$52\overline{)300}$$

5 (quotient); 260; 40

검산 $52\times5+40=300$

$$26\overline{)180}$$

검산

$$33\overline{)260}$$

검산

$$24\overline{)135}$$

검산

$$41\overline{)292}$$

검산

$$37\overline{)303}$$

검산

$$38\overline{)321}$$

검산

$$63\overline{)422}$$

검산

1 관계있는 것끼리 선으로 이으세요.

```
        7
72 ) 6 0 9
     5 0 4
```

```
        9
33 ) 2 9 5
     2 9 7
```

곱한 값이 나누어지는 수보다 크므로 뺄 수 없습니다.

나머지가 나누는 수보다 큽니다.

몫을 1 크게 합니다.

몫을 1 작게 합니다.

2 ● 안의 수를 ◠ 안의 수로 나누어 빈 곳에 몫과 나머지를 쓰세요.

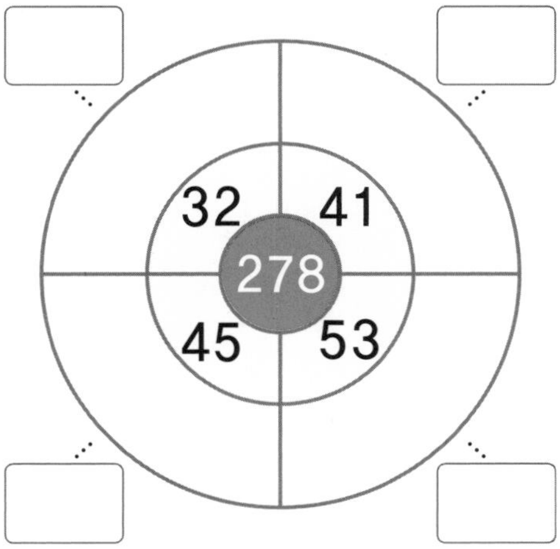

3 주어진 수 카드를 한 번씩 사용하여 (세 자리 수) ÷ (두 자리 수)의 나눗셈을 만들려고 합니다. 몫이 가장 작은 나눗셈식을 만들고 몫과 나머지를 구하세요. 단, 나머지는 50보다 작습니다.

1	8	6	4	3

$\square\square\square \div \square\square = \square \cdots \square$

4 꽃 1송이를 만드는 데 색 테이프 35 cm가 필요하다고 합니다. 길이가 250 cm인 색 테이프로 꽃을 최대한 많이 만든다면 꽃은 몇 송이를 만들 수 있고, 남는 색 테이프는 몇 cm일까요?

______ 송이, ______ cm

5 성식이네 학교 학생 157명이 합동 체육 시간에 짝짓기 놀이를 하고 있습니다. 18명씩 짝을 지을 때 짝을 짓지 못한 학생은 몇 명일까요?

식 ______ 답 ______ 명

6 밤 175 kg을 한 상자에 24 kg씩 포장하여 팔려고 합니다. 밤은 몇 상자까지 팔 수 있을까요?

식 ______ 답 ______ 상자

310 몫이 두 자리 수인 (세 자리 수)÷(두 자리 수) (1)

개념원리

나머지가 없는 (세 자리 수) ÷ (두 자리 수)의 나눗셈을 알아보고 검산을 해 봅시다.

```
        2 3
     ┌──────
  24 ) 5 5 2
       4 8        ← 24×2
     ──────
         7 2      ← 552−480
         7 2      ← 24×3
     ──────
           0
```

➡ 552 ÷ 24 = 23

검산 24 × 23 = 552

```
        1 8
     ┌──────
  38 ) 6 8 4
       3 8        ← 38×1
     ──────
       3 0 4      ← 684−380
       3 0 4      ← 38×8
     ──────
           0
```

➡ 684 ÷ 38 = 18

검산 38 × 18 = 684

```
        □
     ┌──────
  13 ) 3 5 1
       □
     ──────
         □
         □
     ──────
           0
```

➡ 351 ÷ 13 = □

검산 ______

```
        □
     ┌──────
  18 ) 6 4 8
       □
     ──────
       □
       □
     ──────
           0
```

➡ 648 ÷ 18 = □

검산 ______

$$\begin{array}{r} 25 \\ 16\overline{)400} \\ \underline{32} \\ 80 \\ \underline{80} \\ 0 \end{array}$$

검산 16×25=400

$$35\overline{)840}$$

검산

$$24\overline{)672}$$

검산

$$32\overline{)608}$$

검산

$$27\overline{)837}$$

검산

$$39\overline{)897}$$

검산

1 왼쪽 나눗셈식을 보고 다시 계산하지 않고 몫을 구하려고 합니다. □ 안에 알맞은 수를 쓰세요.

$$\begin{array}{r} 36 \\ 14\overline{)532} \\ 42 \\ \hline 112 \\ 84 \\ \hline 28 \end{array}$$

나머지 28이 나누는 수 14보다 크므로 더 나눌 수 있습니다.

28÷14=□이기 때문에

532÷14의 몫은 36+□=□입니다.

2 □ 안에 알맞은 식의 기호를 쓰세요.

㉠ 34×7 ㉡ 34×2 ㉢ 918−680

$$\begin{array}{rl} 27 & \\ 34\overline{)918} & \\ 68 & \leftarrow \square \\ \hline 238 & \leftarrow \square \\ 238 & \leftarrow \square \\ \hline 0 & \end{array}$$

3 □ 안에 알맞은 수를 쓰세요.

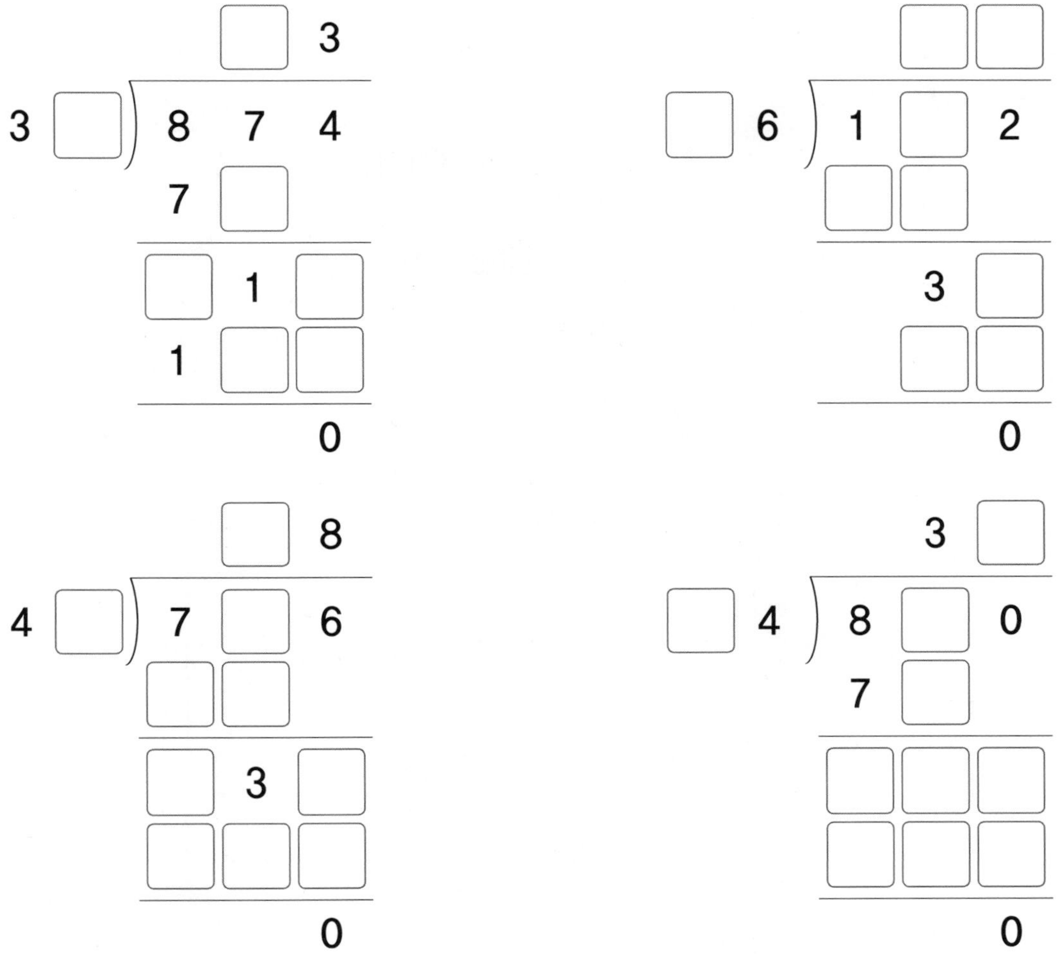

4 지연이네 마을에서는 나무 864그루를 심었습니다. 물음에 답하세요.

24명이 나무를 심었다면 한 사람이 몇 그루씩 심었을까요?

식 ____________________ 답 __________ 그루

나무를 한 줄에 16그루씩 심었습니다. 나무는 몇 줄 심었을까요?

식 ____________________ 답 __________ 줄

311 몫이 두 자리 수인 (세 자리 수)÷(두 자리 수) (2)

개념원리

(세 자리 수)÷(두 자리 수)의 나눗셈을 알아보고 검산을 해 봅시다.

$$\begin{array}{r} 34 \\ 18 \overline{)\,619} \\ 54 \quad \leftarrow 18\times 3 \\ \hline 79 \leftarrow 619-540 \\ 72 \leftarrow 18\times 4 \\ \hline 7 \leftarrow 79-72 \end{array}$$

➡ 619÷18=[34]…[7]

검산 18×[34]+[7]=[619]

$$\begin{array}{r} \square \\ 26 \overline{)\,593} \\ \square \\ \hline \square \\ \square \\ \hline \square \end{array}$$

➡ 593÷26=[ ]…[ ]

검산 26×[ ]+[ ]=[ ]

$$\begin{array}{r} \square \\ 32 \overline{)\,817} \\ \square \\ \hline \square \\ \square \\ \hline \square \end{array}$$

➡ 817÷32=[ ]…[ ]

검산 32×[ ]+[ ]=[ ]

$16\overline{)312}$

검산

$33\overline{)809}$

검산

$34\overline{)795}$

검산

$46\overline{)993}$

검산

$15\overline{)376}$

검산

$68\overline{)937}$

검산

1 곱셈을 하여 표를 완성하고 표를 이용하여 □ 안에 알맞은 수를 쓰세요.

×17				
10	20	30	40	50
170				

294÷17의 몫은 □보다 크고 □보다 작으므로 몫의 십의 자리 숫자는 □입니다.

489÷17의 몫은 □보다 크고 □보다 작으므로 몫의 십의 자리 숫자는 □입니다.

732÷17의 몫은 □보다 크고 □보다 작으므로 몫의 십의 자리 숫자는 □입니다.

2 □ 안에 알맞은 수를 쓰세요.

```
        □ 7
3□ ) 9 1 □
     6 6
     2 □ 8
     □ 3 □
       □ 7
```

```
        1 □
2□ ) □ 2 0
     □ □
     1 9 □
     □ □ □
         6
```

3 주어진 수 카드를 한 번씩 사용하여 (세 자리 수)÷(두 자리 수)의 나눗셈식을 만들려고 합니다. 몫이 가장 큰 나눗셈식을 만들고 몫과 나머지를 구하세요. 단, 나머지는 20보다 큽니다.

7	3	8	2	9

□□□÷□□=□…□

4 258÷16과 나누는 수와 나머지가 같고 몫은 10이 더 큰 나눗셈식을 만드세요.

____

5 배 867개를 한 상자에 24개씩 담아 포장하였습니다. 배를 최대한 많이 포장하고 남은 배는 몇 개일까요?

식 ______________ 답 ______ 개

6 효탁이네 학교 학생 571명이 버스를 타고 수학 체험전에 가려고 합니다. 버스 한 대에 43명씩 탈 수 있다면 버스는 최소 몇 대가 필요할까요?

식 ______________ 답 ______ 대

나눗셈 종합

개념원리

여러 가지 나눗셈을 하는 방법을 알아봅시다.

$$\begin{array}{r} 3 \\ 23\overline{)\ 79} \\ 69 \\ \hline 10 \end{array}$$

두 자리 수를 두 자리 수로 나누면 몫은 한 자리 수입니다.

$$\begin{array}{r} 5 \\ 37\overline{)\ 199} \\ 185 \\ \hline 14 \end{array}$$

세 자리 수 중 왼쪽 두 자리 수(19)가 나누는 수(37)보다 작으므로 몫이 한 자리 수입니다.

$$\begin{array}{r} 19 \\ 29\overline{)\ 574} \\ 29 \\ \hline 284 \\ 261 \\ \hline 23 \end{array}$$

세 자리 수 중 왼쪽 두 자리 수(57)가 나누는 수(29)보다 크므로 몫이 두 자리 수입니다.

$23\overline{)\ 66}$

$28\overline{)\ 217}$

$31\overline{)\ 311}$

$19\overline{)\ 91}$

$62\overline{)\ 415}$

$27\overline{)\ 562}$

$30 \overline{)\ 9\ 0}$

검산 ______________________

$21 \overline{)\ 9\ 4}$

검산 ______________________

$40 \overline{)\ 6\ 4\ 0}$

검산 ______________________

$42 \overline{)\ 2\ 6\ 0}$

검산 ______________________

$19 \overline{)\ 3\ 9\ 8}$

검산 ______________________

$34 \overline{)\ 7\ 8\ 5}$

검산 ______________________

1 빈칸에 알맞은 수를 쓰세요.

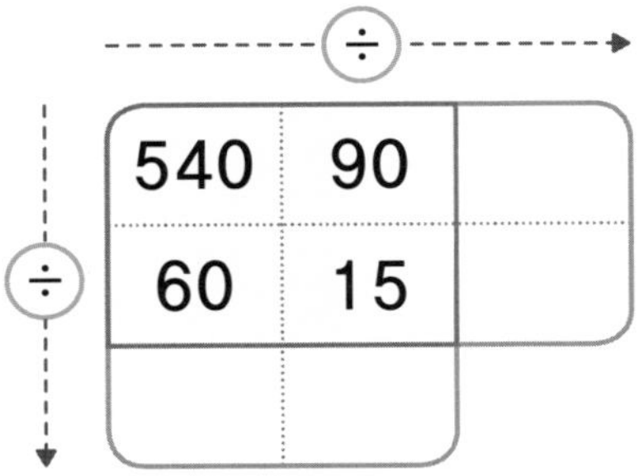

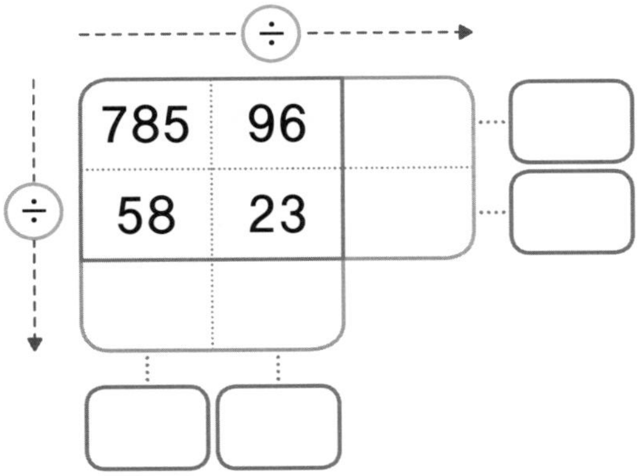

2 다음을 바르게 계산하여 답을 구하세요.

437에 어떤 수를 곱해야 하는데 잘못하여 437을 어떤 수로 나누었더니 몫이 13이고 나머지가 8이었습니다.

잘못된 식: 식 ______________________ 어떤 수: __________

바르게 계산하기: 식 ______________________ 답 __________

어떤 수에 62를 곱해야 하는데 잘못하여 어떤 수를 62로 나누었더니 몫이 11이고 나머지가 26이었습니다.

잘못된 식: 식 ______________________ 어떤 수: __________

바르게 계산하기: 식 ______________________ 답 __________

3 몫이 두 자리 수인 나눗셈을 모두 찾아 ◯표 하세요.

98÷65	442÷34	784÷98
299÷19	297÷33	85÷12

4 수 카드를 한 번씩만 사용하여 다음 나눗셈식을 만들고 몫과 나머지를 구하세요.

2	3	4	5	7

몫이 가장 큰 (세 자리 수)÷(두 자리 수)

몫이 가장 작은 (세 자리 수)÷(두 자리 수)

5 다음 나눗셈식에서 같은 모양은 같은 숫자, 다른 모양은 다른 숫자를 나타냅니다. 각 모양이 나타내는 숫자를 구하세요. (단, ◆+♣=8입니다.)

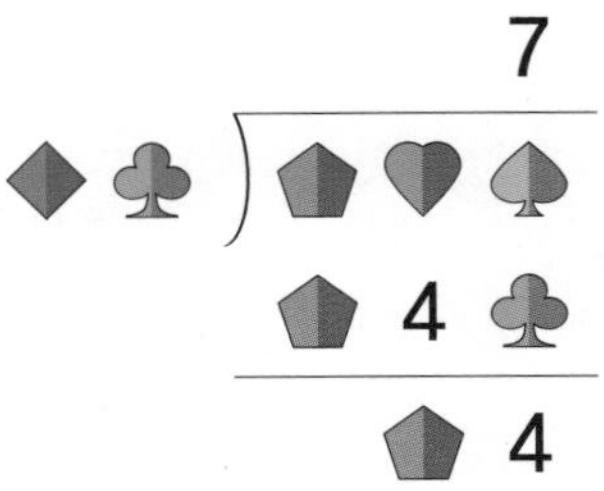

♣= , ◆= ,

⬟= , ♥= ,

♠=

형성평가

1 나눗셈을 하고 검산을 하세요.

$$64\overline{)451}$$

$$26\overline{)518}$$

검산 ______________________

검산 ______________________

2 사탕 231개를 한 봉지에 38개씩 넣어 포장하려 합니다. 사탕은 최대 몇 봉지를 만들 수 있고, 남은 사탕은 몇 개일까요?

________ 봉지, ________ 개

3 몫이 한 자리 수인 나눗셈을 모두 찾아 ◯표 하세요.

75÷31	405÷41	189÷18
323÷26	78÷39	515÷50

4 □ 안에 알맞은 수를 쓰세요.

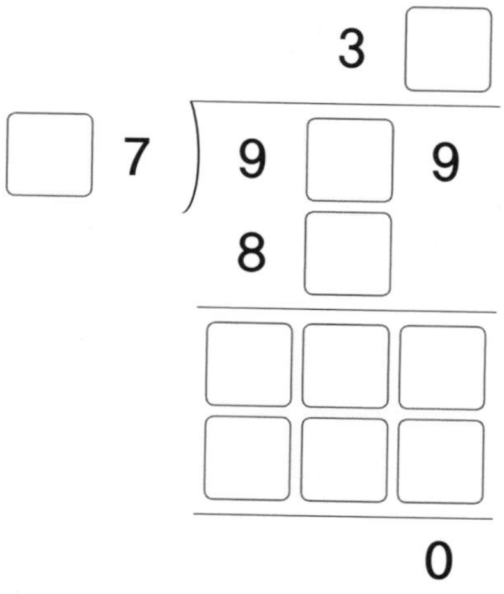

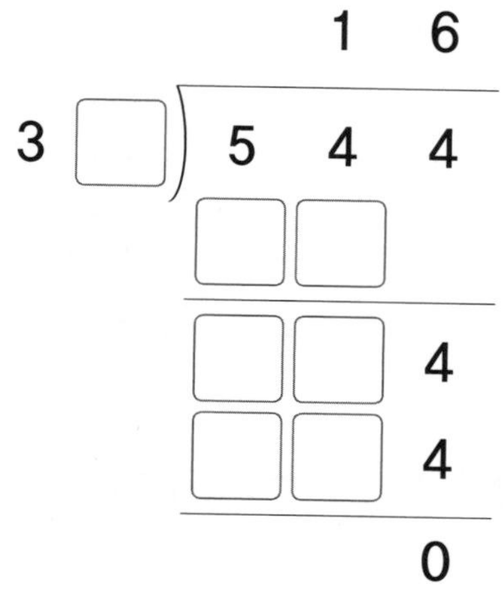

5 윤석이네 학교 학생들이 버스 6대에 28명씩 타고 수학 여행을 갔습니다. 한 방을 14명씩 사용하면 모두 몇 개의 방이 필요할까요?

__________ 개

6 주어진 수 카드를 한 번씩 사용하여 (세 자리 수) ÷ (두 자리 수)의 나눗셈을 만들려고 합니다. 몫이 가장 큰 나눗셈식을 만들고 몫과 나머지를 구하세요. 단, 나머지는 30보다 큽니다.

6	5	7	9	3

□□□ ÷ □□ = □ … □

7 어떤 기계는 한 번 충전하면 432시간 동안 작동한다고 합니다. 기계가 작동하는 시간은 며칠일까요?

__________ 일

8 빈칸에 알맞은 수를 쓰세요.

÷ (→), ÷ (↓)

480	80	
120	40	

÷ (→), ÷ (↓)

527	84		
99	24		

9 처음으로 비행기가 태평양을 횡단하는 데 997분이 걸렸다고 합니다. 이때 걸린 시간은 몇 시간 몇 분일까요?

__________ 시간 __________ 분

3주차

큰 수

자릿수가 5개 이상인 수 알아보기

1일 313 • 다섯 자리 수 46

2일 314 • 십만, 백만, 천만 단위 수 50

3일 315 • 억과 조 54

4일 316 • 큰 수 뛰어 세기 58

5일 형성평가 62

313 다섯 자리 수

개념원리

다섯 자리 수를 알아봅시다.

10000이 8, 1000이 3, 10이 5, 1이 9 이면 83059 라 쓰고 팔만 삼천오십구 라고 읽습니다.

➡ 80000 + 3000 + 50 + 9

10000이 3, 1000이 6, 100이 9, 10이 1, 1이 3 이면 ☐ 이라 쓰고 ☐ 이라고 읽습니다.

➡ ☐ + ☐ + ☐ + ☐ + ☐

10000이 5, 1000이 7, 10이 8, 1이 2 이면 ☐ 라 쓰고 ☐ 라고 읽습니다.

➡ ☐ + ☐ + ☐ + ☐

10000이 4, 100이 3, 10이 6, 1이 5 이면 ☐ 라 쓰고 ☐ 라고 읽습니다.

➡ ☐ + ☐ + ☐ + ☐

이만 삼천 23000

칠만 사천구백이십삼 ______

팔만 칠십육 ______

오만 십칠 ______

육만 사천삼십구 ______

칠만 칠천팔 ______

45000 사만 오천

86040 ______

62180 ______

70300 ______

94365 ______

20040 ______

80003 ______

50900 ______

1 □ 안에 알맞은 수를 쓰세요.

10000은
- 9000보다 □ 큰 수
- 9900보다 □ 큰 수
- 9990보다 □ 큰 수
- 9999보다 □ 큰 수

10000은
- 10000의 □ 배
- 1000의 □ 배
- 100의 □ 배
- 10의 □ 배

2 수 카드를 한 번씩 모두 사용하여 다섯 자리 수를 만드세요.

5	2	6
9	1	

만의 자리 숫자가 5인 가장 큰 수: ________

천의 자리 숫자가 9인 가장 작은 수: ________

3 다음 수는 얼마일까요?

- 2부터 6까지의 숫자를 한 번씩 사용하여 만든 수입니다.
- 54000보다 크고 54300보다 작은 수입니다.
- 일의 자리 숫자는 홀수입니다.

□

4 다음 수를 보고 물음에 답하세요.

73658	87654	29876	62784	56087

숫자 7이 7000을 나타내는 수를 쓰세요.

____

숫자 6이 나타내는 수가 가장 큰 수를 쓰세요.

____

만의 자리 숫자가 5인 수를 쓰세요.

____

천의 자리 숫자가 2인 수를 쓰세요.

____

5 지연이는 10000원짜리 4장, 1000원짜리 7장, 100원짜리 6개, 10원짜리 7개를 모았습니다. 지연이가 모은 돈은 모두 얼마일까요?

______________ 원

6 종성이가 저금통에 모은 돈은 10000원짜리 2장, 1000원짜리 16장, 100원짜리 27개, 10원짜리 42개입니다. 종성이가 저금통에 모은 돈은 모두 얼마일까요?

______________ 원

314 십만, 백만, 천만 단위 수

개념원리

십만, 백만, 천만을 알아봅시다.

50631700은 [5063] 만 [1700] 과 같으므로

[오천육십삼만 천칠백] 이라고 읽습니다.

➡ [50000000] +600000+ [30000] +1000+ [700]

7103806은 [ ] 만 [ ] 과 같으므로

[ ] 이라고 읽습니다.

➡ [ ] +100000+ [ ] +800+ [ ]

20083490은 [ ] 만 [ ] 과 같으므로

[ ] 이라고 읽습니다.

➡ [ ] +80000+ [ ] +400+ [ ]

67300880은 [ ] 만 [ ] 과 같으므로

[ ] 이라고 읽습니다.

➡ [ ] +7000000+ [ ] +800+ [ ]

칠백육만 이십 7060020

이천오백만 삼십 ______

오십칠만 이천팔 ______

육백칠십만 사백 ______

천삼십오만 사천팔백 ______

구천삼십만 구천사 ______

37209060 삼천칠백이십만 구천육십

7050062 ______

23090320 ______

80082005 ______

1 관계있는 것끼리 선으로 이으세요.

4000404	사백사만 사
4040004	사백만 사백사
4000044	사백만 사십사

2 수 카드를 한 번씩 모두 사용하여 가장 큰 여덟 자리 수와 가장 작은 여덟 자리 수를 만들고 읽어 보세요.

0	1	2	3	5	6	7	8

가장 큰 여덟 자리 수: ______ 읽기: ______

가장 작은 여덟 자리 수: ______ 읽기: ______

3 다음 수는 얼마일까요?

- 각 자리의 숫자는 모두 다릅니다.
- 2부터 8까지의 숫자로 된 수입니다.
- 530만보다 크고 540만보다 작습니다.
- 만의 자리 숫자는 일의 자리 숫자의 4배입니다.
- 백의 자리 숫자는 짝수이고 천의 자리 숫자보다 큽니다.

4 숫자 3이 나타내는 값이 가장 큰 수를 찾아 ○표 하고 그 수를 읽으세요.

15431467	345600	9327000	23004500	38890

읽기: ______________

5 설명하는 수는 얼마인지 쓰세요.

1000만이 3, 100만이 8, 10만이 9인 수 ············ [   ]

100만이 15, 10만이 5, 천이 11인 수 ············ [   ]

6 은행에 예금한 돈 57000000원을 수표로 찾으려고 합니다.

이 돈을 모두 100만 원권 수표로 찾는다면 몇 장을 받게 될까요?

______ 장

이 돈을 모두 10만 원권 수표로 찾는다면 몇 장을 받게 될까요?

______ 장

7 돈 15600000원을 100만 원권 수표와 10만 원권 수표로 찾으려고 합니다. 수표의 수가 가장 적게 찾으려면 어떻게 찾아야 할까요?

100만 원권 수표: ______ 장, 10만 원권 수표: ______ 장

3일

315 억과 조

개념원리

억과 조를 알아봅시다.

25412405600은

억이 254

만이 1240

일이 5600 인 수입니다.

23320045670000은

조가 23

억이 3200

만이 4567 인 수입니다.

큰 수를 읽을 때에는 일의 자리에서부터 4자리씩 끊어 읽습니다.

356|0150|1240|0040 → 356조 150억 1240만 40
(조 억 만)

236780057000090은

조가 [ ]

억이 [ ]

만이 [ ]

일이 [ ] 인 수입니다.

560528760800은

억이 [ ]

만이 [ ]

일이 [ ] 인 수입니다.

2407000507030000은

조가 [ ]

억이 [ ]

만이 [ ] 인 수입니다.

570098006500000은

조가 [ ]

억이 [ ]

만이 [ ] 인 수입니다.

8560032809200 ➡ 8 조 5600 억 3280 만 9200

24456732054590 ➡ ____ 조 ____ 억 ____ 만 ____

400090045672300 ➡ ____ 조 ____ 억 ____ 만 ____

7870320921000090 ➡ ____ 조 ____ 억 ____ 만 ____

200025000783245 ➡ ____ 조 ____ 억 ____ 만 ____

340000954678000 ➡ ____ 조 ____ 억 ____ 만 ____

8009019006900871 ➡ ____ 조 ____ 억 ____ 만 ____

30098740609001 ➡ ____ 조 ____ 억 ____ 만 ____

1 다음을 수로 쓰세요.

칠억 ____________________

사백오십억 ____________________

오천팔백칠십육억 삼천사백오만 이백팔십구 ____________________

이십사조 육십오억 이천칠백육십구만 구십육 ____________________

2 수 카드를 한 번씩 모두 사용하여 다음 수를 만드세요.

3	5	7	8	1	0	2	9	4	6

십억의 자리 숫자가 8인 가장 큰 수: ____________________

일의 자리 숫자가 1 인 가장 작은 수: ____________________

3 0부터 9까지의 숫자를 한 번씩 모두 사용하여 열 자리 수를 만들려고 합니다. 만들 수 있는 가장 큰 수에서 숫자 7이 나타내는 수는 만들 수 있는 가장 작은 수에서 숫자 7이 나타내는 수의 몇 배일까요?

____________________ 배

4 천억이 67개, 백억이 35개, 천만이 167개인 수는 얼마일까요?

____

5 소유네 가게에서 지난 한 달 동안 물건을 판 돈 중에서 10000000원짜리 수표 25장, 1000000원짜리 수표 310장을 은행에 입금하였습니다. 입금한 돈은 모두 얼마일까요?

________________ 원

6 백억이 29개, 억이 31개, 십만이 55개인 수를 12자리 수로 나타낼 때, 0은 모두 몇 개일까요?

________ 개

7 빛이 1년 동안에 갈 수 있는 거리를 1광년이라 합니다. 1광년은 9460000000000 km입니다. 100광년은 몇 km일까요?

________________ km

큰 수 뛰어 세기

개념 원리

큰 수를 뛰어서 세어 봅시다.

만씩 뛰어 세기	35만	36만	37만	38만
억씩 뛰어 세기	52억	53억	54억	55억
조씩 뛰어 세기	135조	136조	137조	138조

만씩 뛰어 세면 만의 자리 숫자가 1 씩 커집니다.
억씩 뛰어 세면 억의 자리 숫자가 1 씩 커집니다.
조씩 뛰어 세면 조의 자리 숫자가 1 씩 커집니다.

십만씩 뛰어 세기	120만	130만		
천만씩 뛰어 세기	7300만			1억 300만
백억씩 뛰어 세기	870억		1070억	
십조씩 뛰어 세기	1282조			1312조
천조씩 뛰어 세기	1009조	2009조		

87만	88만	89만		
248억	249억		251억	
1346조		1348조	1349조	
142만	152만			182만
3860조			4160조	4260조
1980조		2180조		2380조
8290억	9290억		1조 1290억	
12조 8천억	12조 9천억			13조 2천억

1 화살표 규칙에 따라 빈칸에 알맞은 수를 쓰세요.

10만씩 뛰어 세기 →

1000만씩 뛰어 세기 ↓

2억 1320만	2억 1330만		
2억 2320만			

10조씩 뛰어 세기 ↓

100억씩 뛰어 세기 →

			23조 1500억
		33조 1400억	33조 1500억

2 규칙에 맞게 빈칸에 알맞은 수를 쓰세요.

3조 250억 35만				
3조 450억 35만	3조 450억 45만			3조 450억 75만
		3조 550억 55만		

3 10배씩 뛰어 세어 빈칸에 알맞은 수를 쓰세요.

	10배 →		10배 →		10배 →		10배 →	
4억						4000억		

	10배 →		10배 →		10배 →		10배 →	
2억 천만				210억				

4 소민이는 매월 10만 원씩 5개월 동안 저금하기로 하였습니다. 현재 통장에 5400000원이 있다면 5개월 후에는 통장에 얼마가 있을까요?

현재	1개월 후	2개월 후	3개월 후	4개월 후	5개월 후
5400000					

__________ 원

5 어떤 수에서 3000억씩 10번 뛰어서 센 수가 5조 6000억이었습니다. 어떤 수를 구하세요.

____

형성평가

1 수를 쓰거나 읽으세요.

천사십만 오천삼 ____________

구천육백십만 천사 ____________

이천사십만 오백십이 ____________

오천육백만 이천구 ____________

39042 ____________

82350 ____________

38000006 ____________

92067024 ____________

2 다음 수는 얼마일까요?

- 다섯 자리 수입니다.
- 1부터 5까지의 숫자를 한 번씩 사용하였습니다.
- 2만보다 크고 3만보다 작은 수입니다.
- 일의 자리 숫자는 짝수입니다.
- 천의 자리 숫자는 백의 자리 숫자보다 크고, 백의 자리 숫자는 십의 자리 숫자보다 큽니다.

3 0부터 9까지의 수 카드를 한 번씩 모두 사용하여 다음 수를 만들어 보세요.

천만 자리의 숫자가 8인 가장 큰 수

____

백의 자리 숫자가 2인 가장 작은 수

____

4 다음을 수로 쓰세요.

천이백억 ______________________

이백칠억 ______________________

육천삼십조 오백삼억 ______________________

육천이십구억 이천팔백사십구만 천팔백이십 ______________________

이백구십팔조 삼천구백사억 이백육만 천이백 ______________________

5 천억이 38개, 백억이 42개, 십억이 84개, 백만이 287인 수는 얼마인지 수를 쓰고 읽으세요.

쓰기: ______________________

읽기: ______________________

6 수를 뛰어 세어 빈칸에 알맞은 수를 쓰세요.

501460	601460		801460	

7359억		9359억		1조 1359억

	3550조	3560조		3580조

7 어떤 수에서 100만씩 뛰어 세기를 4번 하였더니 2940만이 되었습니다. 어떤 수를 구하고 구한 방법을 쓰세요.

	100만		100만		100만		100만	
?	→		→		→		→	2940만

4주차

큰 수의 계산

계산 원리를 큰 수에 적용하기

1일 317 • 큰 수의 덧셈 66

2일 318 • 큰 수의 뺄셈 70

3일 319 • 큰 수 곱하기 몇십, 몇백, 몇천 ... 74

4일 320 • 큰 수 나누기 몇십, 몇백, 몇천 ... 78

5일 형성평가 82

큰 수의 덧셈

개념원리

큰 수의 덧셈을 알아봅시다.

420867+290872
= 711739

	4	2	0	8	6	7
+	2	9	0	8	7	2
	7	1	1	7	3	9

자릿수를 맞춘 다음, 같은 자리 숫자끼리 계산합니다. 같은 자리 숫자끼리의 합이 10보다 크거나 같으면 받아올려 계산합니다.

718829+91963
= ☐

	7	1	8	8	2	9
+		9	1	9	6	3
	☐	☐	☐	☐	☐	☐

4820718+709483
= ☐

	4	8	2	0	7	1	8
+		7	0	9	4	8	3
	☐	☐	☐	☐	☐	☐	☐

3841994+5258006
= ☐

	3	8	4	1	9	9	4
+	5	2	5	8	0	0	6
	☐	☐	☐	☐	☐	☐	☐

67415924+13092017
= ☐

	6	7	4	1	5	9	2	4
+	1	3	0	9	2	0	1	7
	☐	☐	☐	☐	☐	☐	☐	☐

$$\begin{array}{r} 550095 \\ +\ 60181 \\ \hline \end{array}$$

$$\begin{array}{r} 758504 \\ +\ 310218 \\ \hline \end{array}$$

$$\begin{array}{r} 3420908 \\ +\ 954638 \\ \hline \end{array}$$

$$\begin{array}{r} 5610776 \\ +\ 5857004 \\ \hline \end{array}$$

$$\begin{array}{r} 60548290 \\ +\ 8706078 \\ \hline \end{array}$$

$$\begin{array}{r} 65500853 \\ +\ 25717159 \\ \hline \end{array}$$

$7810585+456456$

$1580890+5643087$

$54052580+9651408$

$45612789+58565421$

1 다음과 같이 두 수의 합을 구하세요.

팔천삼백오십만 사천이백삼
칠천이십칠만 삼천사백칠십육

	8	3	5	0	4	2	0	3
+	7	0	2	7	3	4	7	6
1	5	3	7	7	7	6	7	9

칠백구십만 삼백구십팔
칠십구만 구천오백구십오

+	

이천팔십팔만 육천오백팔
천구십오만 칠천육백사

+	

2 □ 안에 알맞은 수를 쓰세요.

	□	□	□	5	4	9
+		8	4	□	□	□
	7	1	4	3	1	7

	8	□	5	□	2	8	0	□
+		3	□	0	□	3	□	5
	□	1	2	4	5	□	8	1

3 주어진 수 카드를 한 장씩 사용하여 여섯 자리 수를 만듭니다. 물음에 답하세요.

2	1	0	4	5	7

가장 큰 수와 가장 작은 수의 합을 구하세요.

	□	□	□	□	□	□
+	□	□	□	□	□	□

십만의 자리가 4인 가장 큰 수와 일의 자리가 4인 가장 작은 수의 합을 구하세요.

	□	□	□	□	□	□
+	□	□	□	□	□	□

4 어느 도시의 초등학교 남학생과 여학생 수를 나타낸 표를 보고 이 도시의 초등학생 수를 구하세요.

남학생	여학생
321600명	289850명

_______________ 명

큰 수의 뺄셈

개념원리

큰 수의 뺄셈을 알아봅시다.

718566 − 372967

= 345599

	7	1	8	5	6	6
−	3	7	2	9	6	7
	3	4	5	5	9	9

자릿수를 맞춘 다음, 일의 자리 숫자부터 차례로 뺄셈을 합니다. 같은 자리 숫자끼리 뺄 수 없으면 받아내림하여 계산합니다.

528004 − 57325

= □

	5	2	8	0	0	4
−		5	7	3	2	5
	□	□	□	□	□	□

2008001 − 509302

= □

	2	0	0	8	0	0	1
−		5	0	9	3	0	2
	□	□	□	□	□	□	□

7011097 − 5222056

= □

	7	0	1	1	0	9	7
−	5	2	2	2	0	5	6
	□	□	□	□	□	□	□

87200104 − 16212073

= □

	8	7	2	0	0	1	0	4
−	1	6	2	1	2	0	7	3
	□	□	□	□	□	□	□	□

$$\begin{array}{r} 739851 \\ -\ 90070 \\ \hline \end{array}$$

$$\begin{array}{r} 834980 \\ -\ 148702 \\ \hline \end{array}$$

$$\begin{array}{r} 5140880 \\ -\ 347215 \\ \hline \end{array}$$

$$\begin{array}{r} 8210756 \\ -\ 5528010 \\ \hline \end{array}$$

$$\begin{array}{r} 70239693 \\ -\ 7608207 \\ \hline \end{array}$$

$$\begin{array}{r} 95480871 \\ -\ 35207149 \\ \hline \end{array}$$

7810585 − 456456

1580890 − 564308

54052580 − 9651408

95612789 − 58565421

1 두 수의 차를 구하세요.

백칠십삼만 구천칠십오 팔십팔만 구십육	천오백이만 육백칠십오 육백칠십칠만 칠천팔십팔
−	−

2 □ 안에 알맞은 수를 쓰세요.

	6	5	8	0	□	□	□
−	□	□	□	□	3	7	2
	4	8	9	1	0	4	9

	5	□	0	□	5	7	0	□
−		8	□	0	□	4	□	0
	4	5	7	9	6	□	9	3

3 0부터 3까지의 숫자를 각각 두 번씩 사용하여 여덟 자리 수를 만듭니다. 물음에 답하세요.

가장 큰 수와 가장 작은 수의 차를 구하세요.

	□	□	□	□	□	□	□	□
−	□	□	□	□	□	□	□	□

셋째로 큰 수와 셋째로 작은 수의 차를 구하세요.

	□	□	□	□	□	□	□	□
−	□	□	□	□	□	□	□	□

4 어느 도시의 총 인구 수를 나타낸 표입니다. 여자는 모두 몇 명일까요?

남자	여자	총 인구
1098265명	명	2002145명

5 어떤 수에 26510024를 더해야 할 것을 잘못하여 뺐더니 9241508이 되었습니다. 바르게 계산하면 얼마일까요?

잘못된 식: 식 ______________ 어떤 수: ______________

바르게 계산하기: 식 ______________ 답 ______________

3일

319 큰 수 곱하기 몇십, 몇백, 몇천

개념원리

큰 수의 곱을 알아봅시다.

0이 모두 [6]개

$85000 \times 4000 =$ [340000000]

$85 \times 4 =$ [340]

85와 4의 곱을 구하여 쓰고 곱의 끝자리에 두 수의 0의 개수의 합만큼 0을 써 줍니다.

0이 모두 [ ]개

$11000 \times 500 =$ [ ]

$11 \times 5 =$ [ ]

0이 모두 [ ]개

$24000000 \times 30 =$ [ ]

$24 \times 3 =$ [ ]

0이 모두 [ ]개

$14500 \times 8000 =$ [ ]

$145 \times 8 =$ [ ]

0이 모두 [ ]개

$980000 \times 200 =$ [ ]

$98 \times 2 =$ [ ]

1600×50

12000×600

5800×8000

45000×70

52000×500

9300×300

60200×700

4800×400

1290×9000

61400×30

240000×60

12800×5000

1 빈칸에 알맞은 수를 쓰세요.

	×1000	×100	×10
300			

	×30	×3000	×3
20			

	×50	×200	×7000
10			

2 곱셈을 하여 빈칸에 알맞은 수를 쓰세요.

(→ ×, ↓ ×)

4200	3000	
600	90	

(→ ×, ↓ ×)

150	400	
30	5000	

3 다음과 같이 두 수의 곱을 구하고 곱을 읽으세요.

이만삼천 곱하기 오천은 일억 천오백만 입니다.

식 $23000 \times 5000 = 115000000$

삼백구십만 곱하기 팔십은 ____________ 입니다.

식 ____________

사십만오천 곱하기 육천은 ____________ 입니다.

식 ____________

4 백일장 대회에 참가한 학생 3500명에게 원고지를 80장씩 나누어 주려고 합니다. 원고지는 모두 몇 장이 필요할까요?

식 ____________ 답 ____________ 장

5 영상을 촬영하는 데 카메라 8대가 필요하다고 합니다. 카메라 한 대의 가격이 150000원일 때 필요한 카메라의 가격은 모두 얼마일까요?

식 ____________ 답 ____________ 원

4일

320 큰 수 나누기 몇십, 몇백, 몇천

개념원리

큰 수의 나눗셈을 알아봅시다.

0의 개수의 차가 [3]개

96000000 ÷ 3000 = [32000]

96 ÷ 3 = [32]

96 ÷ 3의 몫을 구하여 쓰고 몫의 끝자리에 나누어지는 수의 0의 개수에서 나누는 수의 0의 개수를 뺀 수만큼 0을 써 줍니다.

0의 개수의 차가 [ ]개

840000 ÷ 400 = [ ]

84 ÷ 4 = [ ]

0의 개수의 차가 [ ]개

7200000 ÷ 300 = [ ]

72 ÷ 3 = [ ]

0의 개수의 차가 [ ]개

12500000 ÷ 50 = [ ]

125 ÷ 5 = [ ]

0의 개수의 차가 [ ]개

13200000 ÷ 6000 = [ ]

132 ÷ 6 = [ ]

0의 개수의 차가 [ ]개

4280000 ÷ 2000 = [ ]

428 ÷ 2 = [ ]

0의 개수의 차가 [ ]개

81200000 ÷ 70 = [ ]

812 ÷ 7 = [ ]

990000÷3000

505000÷50

558000÷30

756000÷600

99900÷90

714000÷600

7350000÷500

2540000÷2000

7160000÷40

4120000÷4000

48000000÷3000

76800000÷200

1 빈칸에 알맞은 수를 쓰세요.

30000000 →(÷1000)→ □ →(÷100)→ □ →(÷10)→ □

64000000 →(÷20)→ □ →(÷2000)→ □ →(÷200)→ □

81000000 →(÷300)→ □ →(÷30)→ □ →(÷90)→ □

2 나눗셈을 하여 빈칸에 알맞은 수를 쓰세요.

÷ →		
64000000	400	
800	40	

(↓ ÷)

÷ →		
72000000	9000	
6000	30	

(↓ ÷)

3 다음과 같이 나눗셈의 몫을 구하고 몫을 읽으세요.

육천이십만 나누기 이천은 삼만 백 입니다.

식 $60200000 \div 2000 = 30100$

이천칠백오십만 나누기 오천은 ________ 입니다.

식 ________

구천삼만 나누기 삼백은 ________ 입니다.

식 ________

4 전자 제품 대리점에서 한 달 동안 **40**대의 컴퓨터를 판 돈은 **9240000**원입니다. 물음에 답하세요.

컴퓨터 가격이 모두 같다고 할 때 컴퓨터 한 대의 값은 얼마일까요?

식 ________ 답 ________ 원

이번 달이 **4**월이라고 할 때 하루에 얼마씩을 판 셈일까요?

식 ________ 답 ________ 원

형성평가

1 두 수의 합을 구하세요.

오백삼십칠만 이천구백사 / 육십이만 사천칠백십칠	육천삼백오십만 이백오십오 / 이천사백육십이만 구천팔백사십구
+	+

2 □ 안에 알맞은 수를 쓰세요.

		□	□	□	0	2	8	7
+		1	3	8	□	□	□	□
		6	1	5	0	0	2	1

	□	□	8	3	□	4	□	8
+		4	5	□	7	□	8	□
	8	1	□	5	9	4	4	2

3 두 수의 차를 구하세요.

삼천이백칠십이만 천백이십삼 천팔백구십육만 사천삼백이십칠
−

팔천삼만 십육 오천이백사십팔만 천오백이십팔
−

4 어떤 수에서 12090604를 빼야할 것을 잘못하여 더했더니 50580605가 되었습니다. 바르게 계산하면 얼마일까요?

잘못된 식: 식 ______________ 어떤 수: ______________

바르게 계산하기: 식 ______________ 답 ______________

5 곱셈을 하여 빈칸에 알맞은 수를 쓰세요.

× →		
3800	500	
4000	20	

6 한 상자에 5600개씩 들어 있는 블루베리가 6000상자가 있을 때 블루베리는 모두 몇 개일까요?

식 ______________________ 답 ____________ 개

7 나눗셈을 하세요.

$4900000 \div 700$

$4000000 \div 5000$

$81000 \div 30$

$4160000 \div 800$

$432000 \div 6000$

$252000 \div 40$

8 가방 500개를 팔아 28500000원을 벌었다면 가방 한 개의 가격은 얼마였을까요?

식 ______________________ 답 ____________ 원

상위권으로 가는 문제 해결 연산 학습지

응용 연산

정답

C4

초3 ~ 초4

나눗셈, 큰 수의 계산

Creative to Math
씨투엠

C4 나눗셈, 큰 수의 계산

초3 ~ 초4

정답 및 길잡이

두 자리 수로 나누기 (1)

6·7쪽

1일 305 몇십으로 나누기

개념원리 나눗셈을 알아봅시다.

십원짜리 동전 15개를 3개씩 묶으면 5묶음입니다.
15÷3의 몫은 5이므로 150÷30의 몫은 5입니다.

150÷30=5
15÷3=5

80÷20=4, 8÷2=4
120÷40=3, 12÷4=3
420÷70=6, 42÷7=6

360÷30=12, 36÷3=12
550÷50=11, 55÷5=11
960÷30=32, 96÷3=32

900÷60=15, 90÷6=15
880÷40=22, 88÷4=22
480÷40=12, 48÷4=12

40÷20=2
90÷10=9
60÷20=3

240÷30=8
320÷40=8
490÷70=7

770÷70=11
680÷40=17
640÷40=16

70÷10=7
800÷80=10
600÷50=12

450÷50=9
280÷70=4
270÷90=3

390÷30=13
260÷20=13
720÷60=12

8·9쪽

응용연산

1 □ 안에 알맞은 수를 쓰세요.

35÷7 =5, 350÷70=5

54÷6 =9, 540÷60=9

48÷2 =24, 480÷20=24

91÷7 =13, 910÷70=13

2 몫의 크기를 비교하여 ○ 안에 >, =, <를 알맞게 쓰세요.

400÷2 (>) 400÷20 (200, 20)

90÷30 (<) 900÷30 (3, 30)

280÷40 (>) 280÷70 (7, 4)

720÷90 (<) 720÷80 (8, 9)

720÷40 (=) 540÷30 (18, 18)

540÷20 (<) 840÷30 (27, 28)

3 빈칸에 알맞은 수를 쓰고, 나눗셈의 몫을 구하세요.

×60	1	2	3	4	5	6	7	8	9
	60	120	180	240	300	360	420	480	540

420÷60=7
540÷60=9

4 □ 안에 알맞은 수를 쓰세요.

900÷30=600÷20
630÷30=840÷40

5 어느 마을에서 재활용품을 모은 것입니다.

재활용품	헌책	빈병
모은 양	240권	450병

헌책을 40권씩 묶으려고 합니다. 헌책은 모두 몇 묶음이 될까요?

식 240÷40=6 답 6 묶음

빈병을 30병씩 상자에 담으려고 합니다. 상자는 몇 개 필요할까요?

식 450÷30=15 답 15 개

10·11쪽

2일 306 나머지가 있는 몇십으로 나누기

개념원리 곱셈을 이용하여 나눗셈의 몫을 어림하는 방법으로 나눗셈을 계산해 보고 검산하여 봅시다.

20×7=140
20×8=160
20×9=180

20)163 → 몫 8, 160, 나머지 3

검산 20×8+3=163

20×8=160이므로 163÷20의 몫은 8쯤일 것이라 어림하여 계산합니다.

30×5=150
30×6=180
30×7=210

30)185 → 몫 6, 180, 나머지 5

검산 30×6+5=185

40×3=120
40×4=160
40×5=200

40)178 → 몫 4, 160, 나머지 18

검산 40×4+18=178

70×7=490
70×8=560
70×9=630

70)593 → 몫 8, 560, 나머지 33

검산 70×8+33=593

20)84 → 몫 4, 80, 나머지 4 — 검산 20×4+4=84

30)95 → 몫 3, 90, 나머지 5 — 검산 30×3+5=95

40)88 → 몫 2, 80, 나머지 8 — 검산 40×2+8=88

40)352 → 몫 8, 320, 나머지 32 — 검산 40×8+32=352

60)526 → 몫 8, 480, 나머지 46 — 검산 60×8+46=526

70)619 → 몫 8, 560, 나머지 59 — 검산 70×8+59=619

50)207 → 몫 4, 200, 나머지 7 — 검산 50×4+7=207

60)439 → 몫 7, 420, 나머지 19 — 검산 60×7+19=439

12·13쪽

응용연산

1 나눗셈을 하여 몫과 나머지를 쓰세요.

354÷40=8…34
354÷50=7…4
354÷60=5…54

187÷20=9…7
187÷50=3…37
187÷90=2…7

285÷30=9…15
285÷60=4…45
285÷90=3…15

572÷60=9…32
572÷70=8…12
572÷80=7…12

2 몫이 가장 작은 나눗셈에 ○표 하세요.

570÷80=7…10 | 322÷50=6…22 | (313÷60=5…13)

3 나머지가 가장 큰 나눗셈에 △표 하세요.

70)631 (9…1) | △ 20)179 (8…19) | 30)225 (7…15)

4 249쪽짜리 동화책을 하루에 30쪽씩 읽는다면 며칠 안에 모두 읽을 수 있는지 구하려고 합니다. 바르게 설명한 사람을 모두 찾아 이름을 쓰세요.

슬기, 승희

5 준이네 동네에서는 한 달 동안 분리 배출을 하여 빈 깡통 270개를 모았습니다.

빈 깡통을 상자에 30개씩 담으면 가득 담은 상자는 몇 개가 될까요?

270÷30=9 — 9 개

빈 깡통을 봉지에 40개씩 담으면 가득 담은 봉지는 몇 봉지이고 남은 깡통은 몇 개일까요?

270÷40=6…30 — 6 봉지, 30 개

6 서울에서 부산까지 승용차로 315분이 걸렸습니다. 315분은 몇 시간 몇 분일까요?

식 315÷60=5…15 답 5 시간 15 분

14·15쪽

3일 307 (두 자리 수)÷(두 자리 수)

개념원리 (두 자리 수)÷(두 자리 수)의 계산 방법을 알아보고 검산하여 봅시다.

17)89 → 몫 4, 68, 나머지 21 (나머지가 나누는 수보다 큽니다.) — 몫을 1 크게 → 17)89 → 몫 5, 85, 나머지 4

검산 17×5+4=89

나머지가 나누는 수보다 클 때에는 몫을 1 크게 합니다.

16)72 → 몫 5, 80 (뺄 수 없습니다.) — 몫을 1 작게 → 16)72 → 몫 4, 64, 나머지 8

검산 16×4+8=72

뺄 수 없을 때에는 몫을 1 작게 합니다.

15)68 → 몫 3, 45, 23 — 몫을 1 크게 → 15)68 → 몫 4, 60, 8

검산 15×4+8=68

18)87 → 몫 5, 90 — 몫을 1 작게 → 18)87 → 몫 4, 72, 15

검산 18×4+15=87

16)38 → 몫 2, 32, 6 — 검산 16×2+6=38

21)85 → 몫 4, 84, 1 — 검산 21×4+1=85

15)67 → 몫 4, 60, 7 — 검산 15×4+7=67

15)80 → 몫 5, 75, 5 — 검산 15×5+5=80

22)96 → 몫 4, 88, 8 — 검산 22×4+8=96

19)78 → 몫 4, 76, 2 — 검산 19×4+2=78

25)95 → 몫 3, 75, 20 — 검산 25×3+20=95

11)67 → 몫 6, 66, 1 — 검산 11×6+1=67

16·17쪽

응용연산

1 빈칸에 몫과 나머지를 차례대로 쓰세요.

÷			몫	나머지
96	40	2	16	
25	12	2	1	
3	3			
21	4			

÷			몫	나머지
89	39	2	11	
41	16	2	9	
2	2			
7	7			

2 주어진 수 카드를 사용하여 가장 큰 두 자리 수와 가장 작은 두 자리 수를 각각 만들고 나눗셈을 하세요.

7 2 1 5 → 75÷12=6…3

6 4 2 3 → 64÷23=2…18

1 9 4 7 → 97÷14=6…13

2 8 3 5 → 85÷23=3…16

3 다음 중 바르게 계산한 것을 찾아 ○표 하세요.

12)63 → 몫 6, 72, 9

12)63 → 몫 4, 48, 15

12)63 → 몫 5, 60, 3 (○)

18)95 → 몫 3, 54, 41

18)95 → 몫 4, 72, 23

18)95 → 몫 5, 90, 5 (○)

4 어느 서점에서 소설책 87권을 1칸에 17권씩 꽂고 남은 책은 진열하려고 합니다. 소설책은 최대 몇 칸에 꽂히게 되고 몇 권이 남을까요?

87÷17=5…2　　5 칸, 2 권

5 연필 78자루를 한 상자에 1타씩 포장하여 팔려고 합니다. 연필은 최대 몇 상자까지 팔 수 있을까요? 단, 연필 1타는 12자루입니다.

78÷12=6…6　　6 상자

4일

308 나눗셈 문제 해결

개념 원리 곱셈식을 이용하여 몫과 나머지를 구해 봅시다.

$17 \times 5 = 85$
$85 \div 17 = \boxed{5}$
$+\boxed{4}$
$89 \div 17 = \boxed{5} \cdots \boxed{4}$

85÷17은 나머지가 없으므로 나누어떨어집니다
나누어지는 수가 85보다 4 크므로 나머지는 4가 됩니다.

$12 \times 6 = 72$
$72 \div 12 = \boxed{6}$
$+\boxed{5}$
$77 \div 12 = \boxed{6} \cdots \boxed{5}$

$23 \times 4 = 92$
$92 \div 23 = \boxed{4}$
$+\boxed{3}$
$95 \div 23 = \boxed{4} \cdots \boxed{3}$

$15 \times 5 = 75$
$75 \div 15 = \boxed{5}$
$+\boxed{7}$
$82 \div 15 = \boxed{5} \cdots \boxed{7}$

$13 \times 6 = 78$
$78 \div 13 = \boxed{6}$
$+\boxed{12}$
$90 \div 13 = \boxed{6} \cdots \boxed{12}$

$16 \times 6 = 96$
$96 \div 16 = \boxed{6}$
$+\boxed{1}$
$97 \div 16 = \boxed{6} \cdots \boxed{1}$

$21 \times 4 = 84$
$84 \div 21 = \boxed{4}$
$+\boxed{15}$
$99 \div 21 = \boxed{4} \cdots \boxed{15}$

주어진 곱셈식을 이용하여 나눗셈의 몫과 나머지를 구하세요.

$13 \times 4 = 52$
$58 \div 13 = \boxed{4} \cdots \boxed{6}$

$12 \times 8 = 96$
$99 \div 12 = \boxed{8} \cdots \boxed{3}$

$15 \times 3 = 45$
$51 \div 15 = \boxed{3} \cdots \boxed{6}$

$13 \times 7 = 91$
$99 \div 13 = \boxed{7} \cdots \boxed{8}$

$14 \times 5 = 70$
$73 \div 14 = \boxed{5} \cdots \boxed{3}$

$24 \times 4 = 96$
$98 \div 24 = \boxed{4} \cdots \boxed{2}$

$31 \times 3 = 93$
$97 \div 31 = \boxed{3} \cdots \boxed{4}$

$11 \times 7 = 77$
$81 \div 11 = \boxed{7} \cdots \boxed{4}$

$16 \times 5 = 80$
$92 \div 16 = \boxed{5} \cdots \boxed{12}$

응용연산

1 주어진 식을 이용하여 □ 안에 알맞은 수를 쓰세요.

$86 \div 12 = 7 \cdots 2$
➡ $88 \div 12 = \boxed{7} \cdots \boxed{4}$

$56 \div 15 = 3 \cdots 11$
➡ $51 \div 15 = \boxed{3} \cdots \boxed{6}$

$95 \div 14 = 6 \cdots 11$
➡ $\boxed{97} \div 14 = 6 \cdots 13$

$77 \div 13 = 5 \cdots 12$
➡ $\boxed{69} \div 13 = 5 \cdots 4$

2 다음과 같이 □를 사용한 식을 세우고 어떤 수를 구하세요.

어떤 수를 15로 나누면 몫이 3이고 나머지는 8입니다. 어떤 수는 얼마일까요?
□를 사용한 식: $\square \div 15 = 3 \cdots 8$ 어떤 수: 53
$\square = 15 \times 3 + 8 = 53$

어떤 수를 13으로 나누면 몫이 7이고 나머지는 8입니다. 어떤 수는 얼마일까요?
□를 사용한 식: $\square \div 13 = 7 \cdots 8$ 어떤 수: 99

83을 어떤 수로 나누면 몫이 3이고 나머지는 11입니다. 어떤 수는 얼마일까요?
□를 사용한 식: $83 \div \square = 3 \cdots 11$ 어떤 수: 24
$\square \times 3 + 11 = 83$
$\square \times 3 = 72$, $\square = 72 \div 3 = 24$

3 72를 24로 나누면 나누어떨어집니다. 다음을 구하세요.

72보다 큰 수 중에서 24로 나누었을 때 나머지가 12가 되는 가장 작은 수 …… 84

72보다 작은 수 중에서 24로 나누었을 때 나머지가 12가 되는 가장 큰 수 …… 60

4 다음 조건에 맞는 수를 구하세요.

- 60보다 크고 80보다 작은 수입니다.
- 25로 나누었을 때 나머지가 가장 큰 수입니다.

74

5 지은이는 제과점에서 오늘 만든 과자 97개를 한 봉지에 14개씩 최대한 많은 봉지에 나누어 담고 남은 것은 다 먹었습니다. 지은이가 먹은 과자는 모두 몇 개일까요?

식 $97 \div 14 = 6 \cdots 13$ 답 13 개

22·23쪽

5일 형성평가

1 나눗셈을 하세요.

650÷50=13 480÷40=12 640÷40=16

20)340 = 17, 70)770 = 11, 30)630 = 21

2 몫의 크기를 비교하여 ○ 안에 >, =, <를 알맞게 쓰세요.

80÷4 (=) 800÷40 (20, 20)

60÷4 (=) 600÷40 (15, 15)

350÷50 (>) 350÷70 (7, 5)

480÷60 (>) 480÷80 (8, 6)

640÷80 (<) 450÷50 (8, 9)

180÷30 (>) 280÷70 (6, 4)

3 몫이 가장 큰 나눗셈에 ○표, 나머지가 가장 큰 나눗셈에 △표 하세요.

40)295 (7…15), 80)479 (5…79) △, 20)165 (8…5) ○

4 민준이가 410쪽짜리 책을 매일 30쪽씩 읽습니다. 책을 남김없이 모두 읽으려면 며칠이 걸릴까요? 또 마지막 날에는 몇 쪽을 읽게 될까요?

410÷30=13…20 14 일, 20 쪽

5 나눗셈을 하고 검산을 하세요.

17)63 = 3, 51, 12 — 검산 17×3+12=63

24)85 = 3, 72, 13 — 검산 24×3+13=85

6 빈칸에 몫과 나머지를 차례대로 쓰세요.

98	33	2	32
23	16	1	7
4	2		
6	1		

90	41	2	8
27	14	1	13
3	2		
9	13		

24쪽

7 주어진 식을 이용하여 □ 안에 알맞은 수를 쓰세요.

33×4=132 → 135÷33=4…3

22×6=132 → 150÷22=6…18

14×8=112 → 121÷14=8…9

18×7=126 → 143÷18=7…17

8 80을 16으로 나누면 나누어떨어집니다. 다음을 구하세요.

80보다 큰 수 중에서 16으로 나누었을 때 나머지가 8이 되는 가장 작은 수 — 88

80보다 작은 수 중에서 16로 나누었을 때 나머지가 8이 되는 가장 큰 수 — 72

9 어떤 자연수를 11로 나누었을 때, 나올 수 있는 나머지를 모두 합하면 얼마일까요?

1+2+3+4+5+6+7+8+9+10 55

두 자리 수로 나누기 (2)

26·27쪽

1일 309 몫이 한 자리 수인 (세 자리 수)÷(두 자리 수)

개념원리 몫이 한 자리 수인 (세 자리 수)÷(두 자리 수)의 계산 방법을 알아보고 검산하여 봅시다.

- 65)349: 몫 4, 260, 89 — 나머지가 나누는 수보다 큽니다. → 몫을 1 크게 → 5
  65)349: 325, 24 — 검산 65×5+24=349
  나머지가 나누는 수보다 클 때에는 몫을 1 크게 합니다.
- 38)283: 몫 8, 304 — 뺄 수 없습니다. → 몫을 1 작게 → 7
  38)283: 266, 17 — 검산 38×7+17=283
  뺄 수 없을 때에는 몫을 1 작게 합니다.
- 26)161: 몫 5, 130, 31 → 몫을 1 크게 → 6
  26)161: 156, 5 — 검산 26×6+5=161
- 54)416: 몫 8, 432 → 몫을 1 작게 → 7
  54)416: 378, 38 — 검산 54×7+38=416

52)300: 몫 5, 260, 40 검산 52×5+40=300	26)180: 몫 6, 156, 24 검산 26×6+24=180
33)260: 몫 7, 231, 29 검산 33×7+29=260	24)135: 몫 5, 120, 15 검산 24×5+15=135
41)292: 몫 7, 287, 5 검산 41×7+5=292	37)303: 몫 8, 296, 7 검산 37×8+7=303
38)321: 몫 8, 304, 17 검산 38×8+17=321	63)422: 몫 6, 378, 44 검산 63×6+44=422

26 응용연산 C4 · 2주: 두 자리 수로 나누기 (2) 27

28·29쪽

응용연산

1 관계있는 것끼리 선으로 이으세요.

- 72)609: 몫 7, 504 — 나머지가 나누는 수보다 큽니다. — 몫을 1 크게 합니다.
- 33)295: 몫 9, 297 — 곱한 값이 나누어지는 수보다 크므로 뺄 수 없습니다. — 몫을 1 작게 합니다.

2 ● 안의 수를 ⬭ 안의 수로 나누어 빈 곳에 몫과 나머지를 쓰세요.

3 주어진 수 카드를 한 번씩 사용하여 (세 자리 수)÷(두 자리 수)의 나눗셈을 만들려고 합니다. 몫이 가장 작은 나눗셈식을 만들고 몫과 나머지를 구하세요. 단, 나머지는 50보다 작습니다.

1 8 6 4 3

134÷86=1…48

4 꽃 1송이를 만드는 데 색 테이프 35 cm가 필요하다고 합니다. 길이가 250 cm인 색 테이프로 꽃을 최대한 많이 만든다면 꽃은 몇 송이를 만들 수 있고, 남는 색 테이프는 몇 cm일까요?

250÷35=7…5 　 7 송이, 5 cm

5 성식이네 학교 학생 157명이 합동 체육 시간에 짝짓기 놀이를 하고 있습니다. 18명씩 짝을 지을 때 짝을 짓지 못한 학생은 몇 명일까요?

식 157÷18=8…13 　 답 13 명

6 밤 175 kg을 한 상자에 24 kg씩 포장하여 팔려고 합니다. 밤은 몇 상자까지 팔 수 있을까요?

식 175÷24=7…7 　 답 7 상자

28 응용연산 C4 · 2주: 두 자리 수로 나누기 (2) 29

30・31쪽

2일 310 몫이 두 자리 수인 (세 자리 수)÷(두 자리 수) (1)

개념원리 나머지가 없는 (세 자리 수)÷(두 자리 수)의 나눗셈을 알아보고 검산을 해 봅시다.

```
       2 3
24 ) 5 5 2
     4 8      ← 24×2
       7 2    ← 552−480
       7 2    ← 24×3
         0
```

➡ 552÷24= 23

검산 24×23=552

```
       1 8
38 ) 6 8 4
     3 8      ← 38×1
     3 0 4    ← 684−380
     3 0 4    ← 38×8
         0
```

➡ 684÷38= 18

검산 38×18=684

```
       2 7
13 ) 3 5 1
     2 6
       9 1
       9 1
         0
```

➡ 351÷13= 27

검산 13×27=351

```
       3 6
18 ) 6 4 8
     5 4
     1 0 8
     1 0 8
         0
```

➡ 648÷18= 36

검산 18×36=648

```
       2 5
16 ) 4 0 0
     3 2
       8 0
       8 0
         0
```

검산 16×25=400

```
       2 4
35 ) 8 4 0
     7 0
     1 4 0
     1 4 0
         0
```

검산 35×24=840

```
       2 8
24 ) 6 7 2
     4 8
     1 9 2
     1 9 2
         0
```

검산 24×28=672

```
       1 9
32 ) 6 0 8
     3 2
     2 8 8
     2 8 8
         0
```

검산 32×19=608

```
       3 1
27 ) 8 3 7
     8 1
       2 7
       2 7
         0
```

검산 27×31=837

```
       2 3
39 ) 8 9 7
     7 8
     1 1 7
     1 1 7
         0
```

검산 39×23=897

32・33쪽

응용연산

1 왼쪽 나눗셈식을 보고 다시 계산하지 않고 몫을 구하려고 합니다. □ 안에 알맞은 수를 쓰세요.

```
       3 6
14 ) 5 3 2
     4 2
     1 1 2
       8 4
       2 8
```

나머지 28이 나누는 수 14보다 크므로 더 나눌 수 있습니다.

28÷14= 2 이기 때문에

532÷14의 몫은 36+ 2 = 38 입니다.

2 □ 안에 알맞은 식의 기호를 쓰세요.

㉠ 34×7 ㉡ 34×2 ㉢ 918−680

```
       2 7
34 ) 9 1 8
     6 8      ← ㉡
     2 3 8    ← ㉢
     2 3 8    ← ㉠
         0
```

3 □ 안에 알맞은 수를 쓰세요.

```
       2 3
38 ) 8 7 4
     7 6
     1 1 4
     1 1 4
         0
```

```
       1 2
16 ) 1 9 2
     1 6
       3 2
       3 2
         0
```

```
       1 8
42 ) 7 5 6
     4 2
     3 3 6
     3 3 6
         0
```

```
       3 5
24 ) 8 4 0
     7 2
     1 2 0
     1 2 0
         0
```

4 지연이네 마을에서는 나무 864그루를 심었습니다. 물음에 답하세요.

24명이 나무를 심었다면 한 사람이 몇 그루씩 심었을까요?

식 864÷24=36 답 36 그루

나무를 한 줄에 16그루씩 심었습니다. 나무는 몇 줄 심었을까요?

식 864÷16=54 답 54 줄

34·35쪽

3일 311 몫이 두 자리 수인 (세 자리 수)÷(두 자리 수) (2)

개념원리 (세 자리 수)÷(두 자리 수)의 나눗셈을 알아보고 검산을 해 봅시다.

18)619 → 몫 34; 54 ←18×3; 79 ←619−540; 72 ←18×4; 7 ←79−72

➡ 619÷18=34···7

검산 18×34+7=619

26)593 → 몫 22; 52; 73; 52; 21

➡ 593÷26=22···21

검산 26×22+21=593

32)817 → 몫 25; 64; 177; 160; 17

➡ 817÷32=25···17

검산 32×25+17=817

16)312 → 몫 19; 16; 152; 144; 8

검산 16×19+8=312

33)809 → 몫 24; 66; 149; 132; 17

검산 33×24+17=809

34)795 → 몫 23; 68; 115; 102; 13

검산 34×23+13=795

46)993 → 몫 21; 92; 73; 46; 27

검산 46×21+27=993

15)376 → 몫 25; 30; 76; 75; 1

검산 15×25+1=376

68)937 → 몫 13; 68; 257; 204; 53

검산 68×13+53=937

36·37쪽

응용연산

1 곱셈을 하여 표를 완성하고 표를 이용하여 □ 안에 알맞은 수를 쓰세요.

×17	10	20	30	40	50
	170	340	510	680	850

294÷17의 몫은 10 보다 크고 20 보다 작으므로 몫의 십의 자리 숫자는 1 입니다.

489÷17의 몫은 20 보다 크고 30 보다 작으므로 몫의 십의 자리 숫자는 2 입니다.

732÷17의 몫은 40 보다 크고 50 보다 작으므로 몫의 십의 자리 숫자는 4 입니다.

2 □ 안에 알맞은 수를 쓰세요.

33)918 → 몫 27; 66; 258; 231; 27

23)420 → 몫 18; 23; 190; 184; 6

3 주어진 수 카드를 한 번씩 사용하여 (세 자리 수)÷(두 자리 수)의 나눗셈식을 만들려고 합니다. 몫이 가장 큰 나눗셈식을 만들고 몫과 나머지를 구하세요. 단, 나머지는 20보다 큽니다.

7 3 8 2 9

987÷23=42···21

4 258÷16과 나누는 수와 나머지가 같고 몫은 10이 더 큰 나눗셈식을 만드세요.

258÷16=16···2　418÷16=26···2

5 배 867개를 한 상자에 24개씩 담아 포장하였습니다. 배를 최대한 많이 포장하고 남은 배는 몇 개일까요?

식 867÷24=36···3　답 3 개

6 효탁이네 학교 학생 571명이 버스를 타고 수학 체험전에 가려고 합니다. 버스 한 대에 43명씩 탈 수 있다면 버스는 최소 몇 대가 필요할까요?

식 571÷43=13···12　답 14 대

38·39쪽

4일 312 나눗셈 종합

개념원리 여러 가지 나눗셈을 하는 방법을 알아봅시다.

```
        3              5              1 9
23 ) 7 9       37 ) 1 9 9      29 ) 5 7 4
     6 9           1 8 5           2 9
     1 0             1 4           2 8 4
                                   2 6 1
                                     2 3
```

두 자리 수를 두 자리 수로 나누면 몫은 한 자리 수입니다.

세 자리 수 중 왼쪽 두 자리 수(19)가 나누는 수(37)보다 작으므로 몫이 한 자리 수입니다.

세 자리 수 중 왼쪽 두 자리 수(57)가 나누는 수(29)보다 크므로 몫이 두 자리 수입니다.

```
        2              7              1 0
23 ) 6 6       28 ) 2 1 7      31 ) 3 1 1
     4 6           1 9 6           3 1
     2 0             2 1             1

        4              6              2 0
19 ) 9 1       62 ) 4 1 5      27 ) 5 6 2
     7 6           3 7 2           5 4
     1 5             4 3           2 2
```

```
        3                4
30 ) 9 0         21 ) 9 4
     9 0              8 4
       0              1 0
```

검산 $30\times3=90$ 검산 $21\times4+10=94$

```
         1 6                6
40 ) 6 4 0        42 ) 2 6 0
     4 0               2 5 2
     2 4 0                 8
     2 4 0
         0
```

검산 $40\times16=640$ 검산 $42\times6+8=260$

```
         2 0              2 3
19 ) 3 9 8        34 ) 7 8 5
     3 8               6 8
       1 8             1 0 5
                       1 0 2
                           3
```

검산 $19\times20+18=398$ 검산 $34\times23+3=785$

40·41쪽

응용연산

1 빈칸에 알맞은 수를 쓰세요.

(÷ 가로, ÷ 세로)

540	90	6
60	15	4
9	6	

785	96	8	17
58	23	2	12
13	4		
31	4		

2 다음을 바르게 계산하여 답을 구하세요.

437에 어떤 수를 곱해야 하는데 잘못하여 437을 어떤 수로 나누었더니 몫이 13이고 나머지가 8이었습니다.

잘못된 식: 식 437÷□=13···8 어떤 수: 33

□×13+8=437, □×13=429, □=429÷13=33

바르게 계산하기: 식 437×33=14421 답 14421

어떤 수에 62를 곱해야 하는데 잘못하여 어떤 수를 62로 나누었더니 몫이 11이고 나머지가 26이었습니다.

잘못된 식: 식 □÷62=11···26 어떤 수: 708

바르게 계산하기: 식 708×62=43896 답 43896

3 몫이 두 자리 수인 나눗셈을 모두 찾아 ○표 하세요.

98÷65	(442÷34) 44>34	784÷98
(299÷19) 29>19	297÷33	85÷12

4 수 카드를 한 번씩만 사용하여 다음 나눗셈식을 만들고 몫과 나머지를 구하세요.

2 3 4 5 7

몫이 가장 큰 (세 자리 수)÷(두 자리 수)

754÷23=32···18

몫이 32인 나눗셈식을 만들었다면 정답으로 인정합니다.

몫이 가장 작은 (세 자리 수)÷(두 자리 수)

234÷75=3···9

몫이 3인 나눗셈식을 만들었다면 정답으로 인정합니다.

5 다음 나눗셈식에서 같은 모양은 같은 숫자, 다른 모양은 다른 숫자를 나타냅니다. 각 모양이 나타내는 숫자를 구하세요. (단, ◆+♣=8입니다.)

```
          7
◆♣ ) ⬟ ♥ ♠
      ⬟ 4 ♣
        ⬟ 4
```

♣=5, ◆=3, ⬟=2, ♥=6, ♠=9

♣×7의 일의 자리 숫자가 ♣인 숫자를 먼저 찾아보면 ♣=5입니다.
◆, ⬟, ♥, ♠의 순서로 구합니다.

42·43쪽

5일 형성평가

1 나눗셈을 하고 검산을 하세요.

```
       7
64 ) 4 5 1
     4 4 8
     -----
         3
```

검산 64×7+3=451

```
       1 9
26 ) 5 1 8
     2 6
     -----
     2 5 8
     2 3 4
     -----
       2 4
```

검산 26×19+24=518

2 사탕 231개를 한 봉지에 38개씩 넣어 포장하려 합니다. 사탕은 최대 몇 봉지를 만들 수 있고, 남은 사탕은 몇 개일까요?

231÷38=6···3 　 6 봉지, 3 개

3 몫이 한 자리 수인 나눗셈을 모두 찾아 ○표 하세요.

(75÷31)	(405÷41)	189÷18
323÷26	(78÷39)	515÷50

4 □안에 알맞은 수를 쓰세요.

```
          3 [7]
[2] 7 ) 9 [9] 9
        8 [1]
        ---------
       [1][8][9]
       [1][8][9]
       ---------
               0
```

```
            1  6
3 [4] ) 5  4  4
       [3][4]
       ---------
       [2][0] 4
       [2][0] 4
       ---------
              0
```

5 윤석이네 학교 학생들이 버스 6대에 28명씩 타고 수학 여행을 갔습니다. 한 방을 14명씩 사용하면 모두 몇 개의 방이 필요할까요?

6×28÷14=12 　 12 개

6 주어진 수 카드를 한 번씩 사용하여 (세 자리 수)÷(두 자리 수)의 나눗셈을 만들려고 합니다. 몫이 가장 큰 나눗셈식을 만들고 몫과 나머지를 구하세요. 단, 나머지는 30보다 큽니다.

6　5　7　9　3

[9][7][6]÷[3][5]=[27]···[31]

44쪽

7 어떤 기계는 한 번 충전하면 432시간 동안 작동한다고 합니다. 기계가 작동하는 시간은 며칠일까요?

432÷24=18 　 18 일

8 빈칸에 알맞은 수를 쓰세요.

(가로 ÷, 세로 ÷)

480	80	6
120	40	3
4	2	

(가로 ÷, 세로 ÷)

527	84	6	23
99	24	4	3
5	3		
32	12		

9 처음으로 비행기가 태평양을 횡단하는 데 997분이 걸렸다고 합니다. 이때 걸린 시간은 몇 시간 몇 분일까요?

997÷60=16···37 　 16 시간 　 37 분

큰 수

46·47쪽

1일 313 다섯 자리 수

개념원리 다섯 자리 수를 알아봅시다.

10000이 8, 1000이 3, 10이 5, 1이 9 이면 83059 라 쓰고 팔만 삼천오십구 라고 읽습니다.
➡ 80000 + 3000 + 50 + 9

10000이 3, 1000이 6, 100이 9, 10이 1, 1이 3 이면 36913 이라 쓰고 삼만 육천구백십삼 이라고 읽습니다.
➡ 30000 + 6000 + 900 + 10 + 3

10000이 5, 1000이 7, 10이 8, 1이 2 이면 57082 라 쓰고 오만 칠천팔십이 라고 읽습니다.
➡ 50000 + 7000 + 80 + 2

10000이 4, 100이 3, 10이 6, 1이 5 이면 40365 라 쓰고 사만 삼백육십오 라고 읽습니다.
➡ 40000 + 300 + 60 + 5

이만 삼천	23000		
칠만 사천구백이십삼	74923		
팔만 칠십육	80076	오만 십칠	50017
육만 사천삼십구	64039	칠만 칠천팔	77008
45000	사만 오천	86040	팔만 육천사십
62180	육만 이천백팔십	70300	칠만 삼백
94365	구만 사천삼백육십오	20040	이만 사십
80003	팔만 삼	50900	오만 구백

48·49쪽

응용연산

1 □ 안에 알맞은 수를 쓰세요.

10000은 9000보다 1000 큰 수, 9900보다 100 큰 수, 9990보다 10 큰 수, 9999보다 1 큰 수

10000은 10000의 1 배, 1000의 10 배, 100의 100 배, 10의 1000 배

2 수 카드를 한 번씩 모두 사용하여 다섯 자리 수를 만드세요.

5 2 6 9 1

만의 자리 숫자가 5인 가장 큰 수: 59621

천의 자리 숫자가 9인 가장 작은 수: 19256

3 다음 수는 얼마일까요?

- 2부터 6까지의 숫자를 한 번씩 사용하여 만든 수입니다.
- 54000보다 크고 54300보다 작은 수입니다.
- 일의 자리 숫자는 홀수입니다.

54263

4 다음 수를 보고 물음에 답하세요.

73658 87654 29876 62784 56087

숫자 7이 7000을 나타내는 수를 쓰세요. 87654

숫자 6이 나타내는 수가 가장 큰 수를 쓰세요. 62784

만의 자리 숫자가 5인 수를 쓰세요. 56087

천의 자리 숫자가 2인 수를 쓰세요. 62784

5 지연이는 10000원짜리 4장, 1000원짜리 7장, 100원짜리 6개, 10원짜리 7개를 모았습니다. 지연이가 모은 돈은 모두 얼마일까요?

47670 원

6 종성이가 저금통에 모은 돈은 10000원짜리 2장, 1000원짜리 16장, 100원짜리 27개, 10원짜리 42개입니다. 종성이가 저금통에 모은 돈은 모두 얼마일까요?

20000 + 16000 + 2700 + 420 39120 원

50·51쪽

314 십만, 백만, 천만 단위 수

개념원리 십만, 백만, 천만을 알아봅시다.

50631700은 5063 만 1700 과 같으므로
오천육십삼만 천칠백 이라고 읽습니다.
➡ 50000000 +600000+ 30000 +1000+ 700

7103806은 710 만 3806 과 같으므로
칠백십만 삼천팔백육 이라고 읽습니다.
➡ 7000000 +100000+ 3000 +800+ 6

20083490은 2008 만 3490 과 같으므로
이천팔만 삼천사백구십 이라고 읽습니다.
➡ 20000000 +80000+ 3000 +400+ 90

67300880은 6730 만 880 과 같으므로
육천칠백삼십만 팔백팔십 이라고 읽습니다.
➡ 60000000 +7000000+ 300000 +800+ 80

수를 쓰거나 읽으세요.

칠백육만 이십 7060020

이천오백만 삼십 25000030

오십칠만 이천팔 572008

육백칠십만 사백 6700400

천삼십오만 사천팔백 10354800

구천삼십만 구천사 90309004

37209060 삼천칠백이십만 구천육십

7050062 칠백오만 육십이

23090320 이천삼백구만 삼백이십

80082005 팔천팔만 이천오

52·53쪽

응용연산

1 관계있는 것끼리 선으로 이으세요.

4000404 — 사백만 사백사
4040004 — 사백사만 사
4000044 — 사백만 사십사

2 수 카드를 한 번씩 모두 사용하여 가장 큰 여덟 자리 수와 가장 작은 여덟 자리 수를 만들고 읽어 보세요.

0 1 2 3 5 6 7 8

가장 큰 여덟 자리 수: 87653210 읽기: 팔천칠백육십오만 삼천이백십

가장 작은 여덟 자리 수: 10235678 읽기: 천이십삼만 오천육백칠십팔

3 다음 수는 얼마일까요?

- 각 자리의 숫자는 모두 다릅니다.
- 2부터 8까지의 숫자로 된 수입니다.
- 530만보다 크고 540만보다 작습니다.
- 만의 자리 숫자는 일의 자리 숫자의 4배입니다.
- 백의 자리 숫자는 짝수이고 천의 자리 숫자보다 큽니다.

5384672

4 숫자 3이 나타내는 값이 가장 큰 수를 찾아 ◯표 하고 그 수를 읽으세요.

15431467	345600	9327000	(23004500)	38890

읽기: 이천삼백만 사천오백

5 설명하는 수는 얼마인지 쓰세요.

1000만이 3, 100만이 8, 10만이 9인 수 — 38900000

100만이 15, 10만이 5, 천이 11인 수 — 15511000

6 은행에 예금한 돈 57000000원을 수표로 찾으려고 합니다.

이 돈을 모두 100만 원권 수표로 찾는다면 몇 장을 받게 될까요?

57 장

이 돈을 모두 10만 원권 수표로 찾는다면 몇 장을 받게 될까요?

570 장

7 돈 15600000원을 100만 원권 수표와 10만 원권 수표로 찾으려고 합니다. 수표의 수가 가장 적게 찾으려면 어떻게 찾아야 할까요?

100만 원권 수표: 15 장, 10만 원권 수표: 6 장

54·55쪽

3일 315 **억과 조**

개념원리

억과 조를 알아봅시다.

25412405600은

억이 254

만이 1240

일이 5600 인 수입니다.

23320045670000은

조가 23

억이 3200

만이 4567 인 수입니다.

큰 수를 읽을 때에는 일의 자리에서부터 4자리씩 끊어 읽습니다.

356|0150|1240|0040 → 356조 150억 1240만 40
조 억 만

236780057000090은

조가 236

억이 7800

만이 5700

일이 90 인 수입니다.

560528760800은

억이 5605

만이 2876

일이 800 인 수입니다.

2407000507030000은

조가 2407

억이 5

만이 703 인 수입니다.

570098006500000은

조가 570

억이 980

만이 650 인 수입니다.

8560032809200 ➡ 8 조 5600 억 3280 만 9200

24456732054590 ➡ 24 조 4567 억 3205 만 4590

400090045672300 ➡ 400 조 900 억 4567 만 2300

7870320921000090 ➡ 7870 조 3209 억 2100 만 90

200025000783245 ➡ 200 조 250 억 78 만 3245

340000954678000 ➡ 340 조 9 억 5467 만 8000

8009019006900871 ➡ 8009 조 190 억 690 만 871

30098740609001 ➡ 30 조 987 억 4060 만 9001

56·57쪽

응용연산

1 다음을 수로 쓰세요.

칠억 700000000

사백오십억 45000000000

오천팔백칠십육억 삼천사백오만 이백팔십구 587634050289

이십사조 육십오억 이천칠백육십구만 구십육 24006527690096

2 수 카드를 한 번씩 모두 사용하여 다음 수를 만드세요.

3 5 7 8 1 0 2 9 4 6

십억의 자리 숫자가 8인 가장 큰 수: 8976543210

일의 자리 숫자가 1인 가장 작은 수: 2034567891

3 0부터 9까지의 숫자를 한 번씩 모두 사용하여 열 자리 수를 만들려고 합니다. 만들 수 있는 가장 큰 수에서 숫자 7이 나타내는 수는 만들 수 있는 가장 작은 수에서 숫자 7이 나타내는 수의 몇 배일까요?

100000 배

4 천억이 67개, 백억이 35개, 천만이 167개인 수는 얼마일까요?

7051670000000

5 소유네 가게에서 지난 한 달 동안 물건을 판 돈 중에서 10000000원짜리 수표 25장, 1000000원짜리 수표 310장을 은행에 입금하였습니다. 입금한 돈은 모두 얼마일까요?

560000000 원

6 백억이 29개, 억이 31개, 십만이 55개인 수를 12자리 수로 나타낼 때, 0은 모두 몇 개일까요?

293105500000 6 개

7 빛이 1년 동안에 갈 수 있는 거리를 1광년이라 합니다. 1광년은 9460000000000 km입니다. 100광년은 몇 km일까요?

946000000000000 km

58·59쪽

4일 316

큰 수 뛰어 세기

개념 원리 큰 수를 뛰어서 세어 봅시다.

만씩 뛰어 세기	35만	36만	37만	38만
억씩 뛰어 세기	52억	53억	54억	55억
조씩 뛰어 세기	135조	136조	137조	138조

만씩 뛰어 세면 만의 자리 숫자가 1씩 커집니다.
억씩 뛰어 세면 억의 자리 숫자가 1씩 커집니다.
조씩 뛰어 세면 조의 자리 숫자가 1씩 커집니다.

십만씩 뛰어 세기	120만	130만	140만	150만
천만씩 뛰어 세기	7300만	8300만	9300만	1억 300만
백억씩 뛰어 세기	870억	970억	1070억	1170억
십조씩 뛰어 세기	1282조	1292조	1302조	1312조
천조씩 뛰어 세기	1009조	2009조	3009조	4009조

87만	88만	89만	90만	91만
248억	249억	250억	251억	252억
1346조	1347조	1348조	1349조	1350조
142만	152만	162만	172만	182만
3860조	3960조	4060조	4160조	4260조
1980조	2080조	2180조	2280조	2380조
8290억	9290억	1조 290억	1조 1290억	1조 2290억
12조 8천억	12조 9천억	13조	13조 천억	13조 2천억

60·61쪽

응용연산

1 화살표 규칙에 따라 빈칸에 알맞은 수를 쓰세요.

(10만씩 뛰어 세기 →, 1000만씩 뛰어 세기 ↓)

2억 1320만	2억 1330만	2억 1340만	2억 1350만
2억 2320만	2억 2330만	2억 2340만	
2억 3320만	2억 3330만		
2억 4320만			

(100억씩 뛰어 세기 →, 10조씩 뛰어 세기 ↓)

			23조 1500억
		33조 1400억	33조 1500억
	43조 1300억	43조 1400억	43조 1500억
53조 1200억	53조 1300억	53조 1400억	53조 1500억

2 규칙에 맞게 빈칸에 알맞은 수를 쓰세요.

3조 250억 35만				
3조 350억 35만		3조 350억 55만		
3조 450억 35만	3조 450억 45만	3조 450억 55만		3조 450억 75만
3조 550억 35만		3조 550억 55만	3조 550억 65만	3조 550억 75만
		3조 650억 55만		
		3조 750억 55만		

3 10배씩 뛰어 세어 빈칸에 알맞은 수를 쓰세요.

4억 → 40억 → 400억 → 4000억 → 4조 (10배씩)

2억 천만 → 21억 → 210억 → 2100억 → 2조 천억 (10배씩)

4 소민이는 매월 10만 원씩 5개월 동안 저금하기로 하였습니다. 현재 통장에 5400000원이 있다면 5개월 후에는 통장에 얼마가 있을까요?

현재	1개월 후	2개월 후	3개월 후	4개월 후	5개월 후
5400000	5500000	5600000	5700000	5800000	5900000

5900000 원

5 어떤 수에서 3000억씩 10번 뛰어서 센 수가 5조 6000억이었습니다. 어떤 수를 구하세요.

2조 6000억

62·63쪽

5일 형성평가

1 수를 쓰거나 읽으세요.

천사십만 오천삼	10405003	구천육백십만 천사	96101004
이천사십만 오백십이	20400512	오천육백만 이천구	56002009
39042	삼만 구천사십이		
82350	팔만 이천삼백오십		
38000006	삼천팔백만 육		
92067024	구천이백육만 칠천이십사		

2 다음 수는 얼마일까요?

- 다섯 자리 수입니다.
- 1부터 5까지의 숫자를 한 번씩 사용하였습니다.
- 2만보다 크고 3만보다 작은 수입니다.
- 일의 자리 숫자는 짝수입니다.
- 천의 자리 숫자는 백의 자리 숫자보다 크고, 백의 자리 숫자는 십의 자리 숫자보다 큽니다.

25314

3 0부터 9까지의 수 카드를 한 번씩 모두 사용하여 다음 수를 만들어 보세요.

천만 자리의 숫자가 8인 가장 큰 수	백의 자리 숫자가 2인 가장 작은 수
9786543210	1034567289

4 다음을 수로 쓰세요.

천이백억	120000000000
이백칠억	20700000000
육천삼십조 오백삼억	6030050300000000
육천이십구억 이천팔백사십구만 천팔백이십	602928491820
이백구십팔조 삼천구백사억 이백육만 천이백	298390402061200

5 천억이 38개, 백억이 42개, 십억이 84개, 백만이 287인 수는 얼마인지 수를 쓰고 읽으세요.

쓰기: 4304287000000

읽기: 사조 삼천사십이억 팔천칠백만

64쪽

6 수를 뛰어 세어 빈칸에 알맞은 수를 쓰세요.

501460 — 601460 — 701460 — 801460 — 901460

7359억 — 8359억 — 9359억 — 1조 359억 — 1조 1359억

3540조 — 3550조 — 3560조 — 3570조 — 3580조

7 어떤 수에서 100만씩 뛰어 세기를 4번 하였더니 2940만이 되었습니다. 어떤 수를 구하고 구한 방법을 쓰세요.

? —(100만)→ □ —(100만)→ □ —(100만)→ □ —(100만)→ 2940만

2540만, 예 2940만에서 100만씩 거꾸로 뛰어 세기를 4번 합니다.

큰 수의 계산

66·67쪽

1일 317 큰 수의 덧셈

개념원리 큰 수의 덧셈을 알아봅시다.

420867+290872 = 711739

$$\begin{array}{r} 420867 \\ +\ 290872 \\ \hline 711739 \end{array}$$

자릿수를 맞춘 다음, 같은 자리 숫자끼리 계산합니다. 같은 자리 숫자끼리의 합이 10보다 크거나 같으면 받아올려 계산합니다.

718829+91963 = 810792

$$\begin{array}{r} 718829 \\ +\ 91963 \\ \hline 810792 \end{array}$$

4820718+709483 = 5530201

$$\begin{array}{r} 4820718 \\ +\ 709483 \\ \hline 5530201 \end{array}$$

3841994+5258006 = 9100000

$$\begin{array}{r} 3841994 \\ +\ 5258006 \\ \hline 9100000 \end{array}$$

67415924+13092017 = 80507941

$$\begin{array}{r} 67415924 \\ +\ 13092017 \\ \hline 80507941 \end{array}$$

$$\begin{array}{r} 550095 \\ +\ 60181 \\ \hline 610276 \end{array}$$

$$\begin{array}{r} 758504 \\ +\ 310218 \\ \hline 1068722 \end{array}$$

$$\begin{array}{r} 3420908 \\ +\ 954638 \\ \hline 4375546 \end{array}$$

$$\begin{array}{r} 5610776 \\ +\ 5857004 \\ \hline 11467780 \end{array}$$

$$\begin{array}{r} 60548290 \\ +\ 8706078 \\ \hline 69254368 \end{array}$$

$$\begin{array}{r} 65500853 \\ +\ 25717159 \\ \hline 91218012 \end{array}$$

7810585+456456 =8267041

1580890+5643087 =7223977

54052580+9651408 =63703988

45612789+58565421 =104178210

66 응용연산 C4 / 4주 : 큰 수의 계산 67

68·69쪽

응용연산

1 다음과 같이 두 수의 합을 구하세요.

팔천삼백오십만 사천이백삼
칠천이십칠만 삼천사백칠십육

$$\begin{array}{r} 83504203 \\ +\ 70273476 \\ \hline 153777679 \end{array}$$

칠백구십만 삼백구십팔
칠십구만 구천오백구십오

$$\begin{array}{r} 7900398 \\ +\ 799595 \\ \hline 8699993 \end{array}$$

이천팔십팔만 육천오백팔
천구십오만 칠천육백사

$$\begin{array}{r} 20886508 \\ +\ 10957604 \\ \hline 31844112 \end{array}$$

2 □안에 알맞은 수를 쓰세요.

$$\begin{array}{r} 629549 \\ +\ 84768 \\ \hline 714317 \end{array}$$

$$\begin{array}{r} 87542806 \\ +\ 3702375 \\ \hline 91245181 \end{array}$$

3 주어진 수 카드를 한 장씩 사용하여 여섯 자리 수를 만듭니다. 물음에 답하세요.

2 1 0 4 5 7

가장 큰 수와 가장 작은 수의 합을 구하세요.

$$\begin{array}{r} 754210 \\ +\ 102457 \\ \hline 856667 \end{array}$$

십만의 자리가 4인 가장 큰 수와 일의 자리가 4인 가장 작은 수의 합을 구하세요.

$$\begin{array}{r} 475210 \\ +\ 102574 \\ \hline 577784 \end{array}$$

4 어느 도시의 초등학교 남학생과 여학생 수를 나타낸 표를 보고 이 도시의 초등학생 수를 구하세요.

남학생	여학생
321600명	289850명

321600+289850=611450 611450 명

68 응용연산 C4 / 4주 : 큰 수의 계산 69

70·71쪽

2일 318 **큰 수의 뺄셈**

개념원리 큰 수의 뺄셈을 알아봅시다.

718566−372967 = 345599

```
  7 1 8 5 6 6
- 3 7 2 9 6 7
  3 4 5 5 9 9
```

자릿수를 맞춘 다음, 일의 자리 숫자부터 차례로 뺄셈을 합니다. 같은 자리 숫자끼리 뺄 수 없으면 받아내림하여 계산합니다.

528004−57325 = 470679

```
  5 2 8 0 0 4
-   5 7 3 2 5
  4 7 0 6 7 9
```

2008001−509302 = 1498699

```
  2 0 0 8 0 0 1
-   5 0 9 3 0 2
  1 4 9 8 6 9 9
```

7011097−5222056 = 1789041

```
  7 0 1 1 0 9 7
- 5 2 2 2 0 5 6
  1 7 8 9 0 4 1
```

87200104−16212073 = 70988031

```
  8 7 2 0 0 1 0 4
- 1 6 2 1 2 0 7 3
  7 0 9 8 8 0 3 1
```

```
  7 3 9 8 5 1
-   9 0 0 7 0
  6 4 9 7 8 1
```

```
  8 3 4 9 8 0
- 1 4 8 7 0 2
  6 8 6 2 7 8
```

```
  5 1 4 0 8 8 0
-   3 4 7 2 1 5
  4 7 9 3 6 6 5
```

```
  8 2 1 0 7 5 6
- 5 5 2 8 0 1 0
  2 6 8 2 7 4 6
```

```
  7 0 2 3 9 6 9 3
-   7 6 0 8 2 0 7
  6 2 6 3 1 4 8 6
```

```
  9 5 4 8 0 8 7 1
- 3 5 2 0 7 1 4 9
  6 0 2 7 3 7 2 2
```

7810585−456456 =7354129

1580890−564308 =1016582

54052580−9651408 =44401172

95612789−58565421 =37047368

72·73쪽

응용연산

1 두 수의 차를 구하세요.

백칠십삼만 구천칠십오
팔십팔만 구십육

```
  1 7 3 9 0 7 5
-   8 8 0 0 9 6
    8 5 8 9 7 9
```

천오백이만 육백칠십오
육백칠십칠만 칠천팔십팔

```
  1 5 0 2 0 6 7 5
-   6 7 7 7 0 8 8
    8 2 4 3 5 8 7
```

2 □ 안에 알맞은 수를 쓰세요.

```
  6 5 8 0 [4] [2] [1]
- [1] [6] [8] [9] 3 7 2
  4 8 9 1 0 4 9
```

```
  5 [4] 0 [0] 5 7 0 [3]
-   8 [2] 0 [9] 4 [1] 0
  4 5 7 9 6 [2] 9 3
```

3 0부터 3까지의 숫자를 각각 두 번씩 사용하여 여덟 자리 수를 만듭니다. 물음에 답하세요.

가장 큰 수와 가장 작은 수의 차를 구하세요.

```
  [3] [3] [2] [2] [1] [1] [0] [0]
- [1] [0] [0] [1] [2] [2] [3] [3]
   2   3   2   0   8   8   6   7
```

셋째로 큰 수와 셋째로 작은 수의 차를 구하세요.

```
  [3] [3] [2] [2] [1] [0] [0] [1]
- [1] [0] [0] [1] [2] [3] [3] [2]
   2   3   2   0   8   6   6   9
```

4 어느 도시의 총 인구 수를 나타낸 표입니다. 여자는 모두 몇 명일까요?

남자	여자	총 인구
1098265명	903880 명	2002145명

5 어떤 수에 26510024를 더해야 할 것을 잘못하여 뺐더니 9241508이 되었습니다. 바르게 계산하면 얼마일까요?

잘못된 식: 식 □−26510024 =9241508　　어떤 수: 35751532

바르게 계산하기: 식 35751532+26510024 =62261556　　답 62261556

3일 319

큰 수 곱하기 몇십, 몇백, 몇천

개념원리 큰 수의 곱을 알아봅시다.

0이 모두 6 개

85000×4000= 340000000

85×4= 340

85와 4의 곱을 구하여 쓰고 곱의 끝자리에 두 수의 0의 개수의 합만큼 0을 써 줍니다.

0이 모두 5 개

11000×500= 5500000

11×5= 55

0이 모두 7 개

24000000×30= 720000000

24×3= 72

0이 모두 5 개

14500×8000= 116000000

145×8= 1160

0이 모두 6 개

980000×200= 196000000

98×2= 196

1600×50=80000

12000×600=7200000

5800×8000=46400000

45000×70=3150000

52000×500=26000000

9300×300=2790000

60200×700=42140000

4800×400=1920000

1290×9000=11610000

61400×30=1842000

240000×60=14400000

12800×5000=64000000

응용연산

1 빈칸에 알맞은 수를 쓰세요.

300 →(×1000) 300000 →(×100) 30000000 →(×10) 300000000

20 →(×30) 600 →(×3000) 1800000 →(×3) 5400000

10 →(×50) 500 →(×200) 100000 →(×7000) 700000000

2 곱셈을 하여 빈칸에 알맞은 수를 쓰세요.

		×→
4200	3000	12600000
600	90	54000
2520000	270000	

		×→
150	400	60000
30	5000	150000
4500	2000000	

3 다음과 같이 두 수의 곱을 구하고 곱을 읽으세요.

이만삼천 곱하기 오천은 일억 천오백만 입니다.

식 23000×5000=115000000

삼백구십만 곱하기 팔십은 삼억 천이백만 입니다.

식 3900000×80=312000000

사십만오천 곱하기 육천은 이십사억 삼천만 입니다.

식 405000×6000=2430000000

4 백일장 대회에 참가한 학생 3500명에게 원고지를 80장씩 나누어 주려고 합니다. 원고지는 모두 몇 장이 필요할까요?

식 3500×80=280000 답 280000 장

5 영상을 촬영하는 데 카메라 8대가 필요하다고 합니다. 카메라 한 대의 가격이 150000원일 때 필요한 카메라의 가격은 모두 얼마일까요?

식 150000×8=1200000 답 1200000 원

78 • 79 쪽

4일 320 큰 수 나누기 몇십, 몇백, 몇천

개념 원리 큰 수의 나눗셈을 알아봅시다.

0의 개수의 차가 3 개

96000000÷3000= 32000

96÷3= 32

96÷3의 몫을 구하여 쓰고 몫의 끝자리에 나누어지는 수의 0의 개수에서 나누는 수의 0의 개수를 뺀 수만큼 0을 써 줍니다.

0의 개수의 차가 2 개
840000÷400= 2100
84÷4= 21

0의 개수의 차가 3 개
7200000÷300= 24000
72÷3= 24

0의 개수의 차가 4 개
12500000÷50= 250000
125÷5= 25

0의 개수의 차가 2 개
13200000÷6000= 2200
132÷6= 22

0의 개수의 차가 1 개
4280000÷2000= 2140
428÷2= 214

0의 개수의 차가 4 개
81200000÷70= 1160000
812÷7= 116

990000÷3000=330

505000÷50=10100

558000÷30=18600

756000÷600=1260

99900÷90=1110

714000÷600=1190

7350000÷500=14700

2540000÷2000=1270

7160000÷40=179000

4120000÷4000=1030

48000000÷3000=16000

76800000÷200
=384000

78 응용연산 C4 4주: 큰 수의 계산 79

80 • 81 쪽

응용연산

1 빈칸에 알맞은 수를 쓰세요.

30000000 →(÷1000)→ 30000 →(÷100)→ 300 →(÷10)→ 30

64000000 →(÷20)→ 3200000 →(÷2000)→ 1600 →(÷200)→ 8

81000000 →(÷300)→ 270000 →(÷30)→ 9000 →(÷90)→ 100

2 나눗셈을 하여 빈칸에 알맞은 수를 쓰세요.

		÷
64000000	400	160000
800	40	20
80000	10	

		÷
72000000	9000	8000
6000	30	200
12000	300	

3 다음과 같이 나눗셈의 몫을 구하고 몫을 읽으세요.

육천이십만 나누기 이천은 삼만 백 입니다.
식 60200000÷2000=30100

이천칠백오십만 나누기 오천은 오천오백 입니다.
식 27500000÷5000=5500

구천삼만 나누기 삼백은 삼십만 백 입니다.
식 90030000÷300=300100

4 전자 제품 대리점에서 한 달 동안 40대의 컴퓨터를 판 돈은 9240000원입니다. 물음에 답하세요.

컴퓨터 가격이 모두 같다고 할 때 컴퓨터 한 대의 값은 얼마일까요?
식 9240000÷40=231000 답 231000 원

이번 달이 4월이라고 할 때 하루에 얼마씩을 판 셈일까요?
식 9240000÷30=308000 답 308000 원

80 응용연산 C4 4주: 큰 수의 계산 81

82·83쪽

5일 형성평가

1 두 수의 합을 구하세요.

오백삼십칠만 이천구백사
육십이만 사천칠백십칠

```
  5372904
+  624717
  5997621
```

육천삼백오십만 이백오십오
이천사백육십이만 구천팔백사십구

```
  63500255
+ 24629849
  88130104
```

2 □ 안에 알맞은 수를 쓰세요.

```
   [4][7][6] 0  2  8  7
+   1  3  8 [9][7][3][4]
    6  1  5  0  0  2  1
```

```
 [7][6] 8  3 [1] 4 [5] 8
+       4  5 [2] 7 [9] 8 [4]
  8  1 [3] 5  9  4  4  2
```

3 두 수의 차를 구하세요.

삼천이백칠십이만 천백이십삼
천팔백구십육만 사천삼백이십칠

```
  32721123
- 18964327
  13756796
```

팔천삼만 십육
오천이백사십팔만 천오백이십팔

```
  80030016
- 52481528
  27548488
```

4 어떤 수에서 12090604를 빼야할 것을 잘못하여 더했더니 50580605가 되었습니다. 바르게 계산하면 얼마일까요?

잘못된 식: 식 □+12090604=50580605 어떤 수: 38490001

바르게 계산하기: 식 38490001－12090604=26399397 답 26399397

5 곱셈을 하여 빈칸에 알맞은 수를 쓰세요.

×		
3800	500	1900000
4000	20	80000
15200000	10000	

84쪽

6 한 상자에 5600개씩 들어 있는 블루베리가 6000상자가 있을 때 블루베리는 모두 몇 개일까요?

식 5600×6000=33600000 답 33600000 개

7 나눗셈을 하세요.

4900000÷700=7000

4000000÷5000=800

81000÷30=2700

4160000÷800=5200

432000÷6000=72

252000÷40=6300

8 가방 500개를 팔아 28500000원을 벌었다면 가방 한 개의 가격은 얼마였을까요?

식 28500000÷500=57000 답 57000 원

Memo

Memo

“

Numbers rule the universe.

”

"수가 우주를 지배한다"

Pythagoras, 피타고라스